Rellure

1 AOU 1994

Vlanney Bélanger

Quand
l'Amérique s'appelait
Nouvelle-France

COLLECTION DIRIGÉE PAR
PIERRE MIQUEL

Jean-Marc Soyez

(Quand
l'Amérique s'appelait
Nouvelle-France)

Fayard

1/ *La chasse des terres neuves*

TERRE !

Le 1er octrobre 1492, Christophe Colomb officialise la découverte du Nouveau Monde. C'est un événement. A cette époque, une majorité de gens croient encore que la terre est plate et personne ne paraît soupçonner qu'elle tourne. Copernic fête son dix-neuvième printemps. Galilée ne naîtra que soixante-douze ans plus tard. En cette fin du XVe siècle, on sait pourtant qu'il y a des terres émergées de l'autre côté de l'Atlantique. Pour les partisans de la terre ronde, il s'agit de la Chine, voire des Indes.

Quoi qu'il en soit, depuis longtemps, Basques, Portugais, Bretons, Normands et Anglais s'en vont chaque année pêcher la morue au large des côtes de l'Islande, du Groenland et sans doute aussi de Terre-Neuve. Respectant les règles commerciales du temps, pas un capitaine ne trahit le secret. Si, d'aventure, l'un parle trop, c'est après boire. Mais qui, à cette époque, prêterait l'oreille aux propos d'un matelot ? Alors, la Cour, les bourgeois et le peuple font maigre (et bombance) avec de la morue en partie américaine. On se voile religieusement la face quant à son origine, et voilà tout.

Le seul vrai mérite de Colomb est d'avoir, le premier, réussi à persuader un souverain — Isabelle la Catholique — de quitter un moment les merveilleuses intrigues de sa cour pour s'intéresser à la circumnavigation, façon inquiétante mais économique de joindre les phénoménaux trésors de Cathay (la Chine) et Cipangu (le Japon). Pour moderne qu'elle paraisse, l'aventure n'est pas nouvelle. On sait aujourd'hui que Phéniciens et Crétois fréquentaient l'Amérique centrale vingt-cinq siècles avant Jésus-Christ. En 540 de notre ère, des Irlandais naviguaient déjà vers l'Amérique du Nord, en l'an mil vinrent des Vikings, puis des Écossais et des Norvégiens. Les Vikings eurent des liens suivis avec le Vinland (sans doute la Nouvelle-Écosse) pendant trois siècles. L'empreinte des Irlandais est si profonde que l'archéologue Mallery a trouvé des traces évidentes de l'influence des Celtes irlandais dans la civilisation algonkine.

Bref, on savait peu ou prou qu'il y avait des terres au nord de l'Atlantique, Colomb montre à l'évidence qu'il en existe au sud. Pour tout le monde, voici les Indes à portée de voile. Autre conséquence : la terre devient ronde pour tous.

UN PAPE BORGIA DÉCOUPE LE NOUVEAU MONDE

Tout commence par un premier Yalta.
En cette même année 1492, un nouveau pape,

Alexandre VI, se fait élire à Rome en achetant froidement la majorité des cardinaux. Quoi de plus naturel puisqu'il est Borgia à n'en plus pouvoir ? Neveu de l'ancien pontife Calixte III, il a été successivement avocat marron, soldat, archevêque de sa ville natale, Valence, en Espagne, et vice-chancelier de l'Église. Il a cinq enfants naturels qu'il aime par-dessus tout et dont il assurera la fortune à n'importe quel prix.

Quelques semaines après le retour de Colomb, Alexandre VI confirme à l'Espagne la possession de tous les territoires découverts ou à découvrir à l'ouest d'une ligne verticale tracée d'un pôle à l'autre, à cent lieues des Açores et du cap Vert, « sous condition que ces terres ne soient déjà propriété d'un prince chrétien ». Quoi de plus facile pour un pape espagnol que d'admettre que la terre appartiendra à sa patrie ?

A son second voyage, en 1494, alors que Colomb découvre Cuba, les Portugais trouvent soudain à redire à la décision du Saint-Siège. Alexandre VI, qui tient à l'amitié lusitanienne et n'est pas à une bulle près, repousse la fameuse ligne sept cents lieues plus loin. Pour lui, comme pour ses contemporains, ces nouvelles frontières n'ont évidemment aucune signification précise.

Espagnols et Portugais s'en arrangent. Voici donc le monde entier, à l'exception de l'Europe, réservé au bénéfice exclusif des deux royaumes ibériques, encore bien petits puisqu'à eux deux ils ne comptent encore que huit millions d'habitants. Leurs concurrents éventuels sont menacés d'excommunication.

Cependant, sans doute plus soucieux de butin que de la conversion des infidèles, le pape veut tout codifier, tout vérifier — à commencer par les comptes. L'Espagne et le Portugal, pourtant privilégiés, lui font alors savoir qu'ils récusent la fameuse bulle *(Inter coetera)* et lui proposent très fermement de confirmer dorénavant une à une les terres qu'ils découvriront.

En clair, cela veut dire qu'Espagnols et Portugais entendent bien partager le monde, mais à leur manière, sans que les autorités religieuses s'en mêlent de quelque façon. Les dispositions précédentes envers les concurrents restent identiques, et la piraterie devient un crime, crime qui n'est absous qu'après un jugement sommaire, suivi de pendaison ou noyade.

POUR DES MOLUES[1]

En France, ces aimables dispositions n'émeuvent guère les morutiers habitués depuis longtemps à se battre entre rivaux et surtout contre les vrais pirates, les Barbaresques qui viennent les guetter à leur retour, non loin des côtes européennes. La guerre de Cent Ans est réellement terminée depuis trente-quatre ans, et Louis XII — un bon roi qui a eu l'heureuse idée de diminuer les impôts — se consacre entièrement à une nouveauté : les guerres d'Italie. Quant aux douze millions de paysans, ils ignorent tout et continuent à défricher le royaume comme au plus beau temps du néolithique.

En 1492, les Anglais en sont à leur septième expédition lancée à la vaine découverte de l'île de Brasil. Ce n'est pas tant le désir gratuit de l'exploration qui les mène, que la nécessité de retrouver des

1. Nom ancien des morues.

pêcheries pour remplacer celles d'Islande dont ils se sont fait évincer en 1478.

Le roi d'Angleterre ne s'était pas laissé convaincre par le projet que Christophe Colomb lui avait présenté en 1488. Mais lorsque celui-ci revient de son second voyage, les « arrivages » des Indes (or, épices, sauvages) montrent à Henri VII qu'il a eu tort de ne pas s'être mis d'accord sur les conditions du Génois. L'année suivante, il commissionne un certain Giovanni Caboto et ses trois fils, Louis, Sébastien et Sanche, pour aller à la découverte de « tous pays infidèles encore non connus des chrétiens ». Il n'est nulle part fait état des prétentions ibériques.

Caboto, que l'on dit génois, sans doute pour sacrifier à la mode, est d'origine inconnue. On sait simplement qu'il a été naturalisé vénitien après quinze années de séjour et de service à la Cité des doges. Il habite Bristol depuis quelque temps. Après une courte mais brillante carrière sous le nom de Jean Cabot, il laissera son nom à une façon de naviguer en longeant les côtes : le cabotage.

Jean Cabot part de Bristol le 2 mai 1497 sur le *Matthew*, avec 70 hommes d'équipage. Le 24 juin, après un voyage estimé à 700 lieues, il prend possession d'une terre en y élevant une croix portant les armes d'Angleterre et celles de Venise. Il suit le littoral sur environ 300 lieues, n'y voit personne, trouve seulement quelques « outils de chasse et pêche », et le 6 août revient, enchanté d'avoir trouvé le pays du Grand Khan.

Henri VII est émerveillé d'avoir conquis un grand morceau d'Asie sans donner un coup d'épée. A lui, le commerce des ivoires, des jades, de l'or, des soieries. Il cherche même à Londres un lieu où bâtir un comptoir qui éclipsera celui d'Alexandrie.

Personne ne sait, aujourd'hui encore, où est précisément allé cet optimiste. Pour les uns, il a vu la Nouvelle-Écosse, pour les autres Terre-Neuve ou bien le Labrador parce qu'il a trouvé quantité de morues. Il est toutefois curieux qu'il n'ait pas rencontré un seul bateau de pêche. Peut-être s'est-il bien gardé de le signaler pour rendre son voyage encore plus extraordinaire.

Cabot repart en 1498. Il semble certain qu'il ait touché le Groenland, aperçu la terre de Baffin, longé l'actuel Labrador, Terre-Neuve.

Pas d'Asie dans tout cela, mais notre navigateur espère tant la découvrir que, dès l'année 1500, il organise une nouvelle expédition. Il est accompagné d'interprètes parlant chinois et d'un capitaine portugais, João Fernandes, qui porte le titre de *Labrador* (propriétaire terrien ou, mieux, entrepreneur). Fernandes rentre seul. Il ignore, bien sûr, que son titre s'appliquera bientôt à une grande partie du littoral canadien.

En 1500, un autre Portugais, Gaspard Corte Real, « redécouvre » Terre-Neuve après avoir vu une mer de glace. Il repart l'année suivante, entre peut-être dans le Saint-Laurent, et le voilà de retour en octobre à Lisbonne, avec quelques indigènes. Il se lance aussitôt dans un troisième voyage dont il ne reviendra pas. Désormais, les explorations officielles se tournent plus volontiers vers les terres chaudes, le Brésil.

LES FRANÇAIS, MAUVAIS DERNIERS

Les Français, résolument bons derniers dans cette

course, sont pourtant touchés malgré eux par ses
retombées.

En 1504, Paulmier de Gonneville, un capitaine de
Honfleur, part pour les Indes (les vraies) par le cap
de Bonne-Espérance. Au sud de l'Afrique, il est
surpris par une tempête épouvantable qui « le pousse
en face ». Il aborde dans un pays plein d'oiseaux et
de plantes merveilleuses. Il y demeure quelques mois
pour réparer son navire et rapporte comme preuve de
son aventure un Brésilien du nom d'Essoméricq qui
se marie à une Normande. Leur descendance directe
ne s'éteint qu'à la fin du XVIIᵉ siècle.

En 1509, Thomas Aubert de Dieppe, capitaine de
pêcherie qui connaît certainement la route du
nord-ouest depuis belle lurette, se singularise en
ramenant « des indigènes des Indes, bien vivants
avec leurs vêtements, leurs armes et même leurs
barques ». On ignore ce qu'ils sont devenus, mais la
note ajoutée par l'éditeur Henri Estienne à un ouvrage imprimé en 1512[1] nous apprend que ces indigènes sont très probablement des Béothuks de Terre-
Neuve.

Toutefois, les contemporains de Louis XII persis-
tent à regarder ces événements avec le même amuse-
ment que les attractions des bateleurs.

Enfin, en 1524, les Français se mettent de la partie.
Les Français, façon de dire, puisque ce sont en fait
des banquiers italiens de Lyon qui, avec la bénédiction de François Iᵉʳ, commanditent un Florentin,
Giovanni da Verrazano.

Jusqu'ici, grâce en particulier à Vasco de Gama,
on « sçavait » les côtes américaines de la Terre de

---

1. *Eusebii Caesariesis episcopi chronicon.*

Feu à la Floride et puis, au nord, un peu de Nouvelle-Écosse, de Terre-Neuve et de Labrador. Verrazano relie le tout en reconnaissant la côte de la Floride espagnole au cap Breton. Il prend contact avec de nombreux indigènes et s'amuse de constater leurs ressemblances avec différents types orientaux; ressemblances qu'il tient pour des coïncidences.

Le génie du Florentin, par ailleurs cartographe hors pair, c'est d'avoir été le seul de son époque à comprendre et surtout affirmer que cette terre dont on commence à connaître le contour forme un continent original, un Nouveau Monde distinct de l'Europe et de l'Asie. Au-delà des rivages qu'il découvre, s'étendent des terres sans fin. Il les nomme Franscane, Nova Gallia, Nouvelle-France.

Dès son retour, Verrazano — que l'on appelle à présent Jehan de Varesan et aussi Jehan de Varasenne — sollicite une nouvelle commission pour repartir. Il choisit mal son moment. La cour a d'autres Indiens à fouetter, car François Iᵉʳ vient d'être fait prisonnier à Pavie.

Le sire de Varasenne attendra trois ans pour que l'émotion s'apaise et repartira en 1528 sur les chemins de sa découverte. Il est à peu près sûr qu'il compte parmi ses compagnons un Malouin qui a déjà fait ses preuves sur les atterrages du Brésil, un nommé Jacques Cartier.

Avec ce nouveau venu, commence réellement l'histoire de la Nouvelle-France, cette inconcevable immensité portée sur les fonts baptismaux par un marin de Florence.

2/ L'Amérique à portée de voile

/

Verrazano est mort depuis quatre ans lorsqu'en 1532 François Ier, poussé par un « furieux besoing d'or », repense aux bienheureux rivages du Cathay.

Sur les conseils de son aumônier, l'évêque Le Veneur, le roi fait appel à Jacques Cartier, pilote malouin de quarante et un ans qui connaît à merveille les routes atlantiques du Brésil et de Terre-Neuve. A ces talents, il ajoute celui d'interprète en portugais.

UN VOYAGE VERS LA CHINE...

Il faut deux années de palabres pour monter l'affaire.

En mars 1534, Jacques Cartier arrive enfin à Saint-Malo, porteur d'un ordre royal « por faire le voyaige de ce royaume [la France] es Terres Neufves pour y descouvrir certaines yles où l'on dict qu'il se doibt trover gran quantitez d'or et aultres riches choses ». Suit un bon de caisse de 6 000 livres « por advitaillement, armement et équipaiges de certains navires et soulde et entretenement des mariniers ».

Cartier a donc de l'argent, l'assentiment de Brion, l'amiral de France, la protection royale et la bénédiction de l'Église en la personne du très prochain cardinal Le Veneur. En France, on ne peut rêver meilleur concours de circonstances favorables pour que tout aille de travers; ce qui arrive aussitôt.

A peine la nouvelle est-elle connue que les bourgeois armateurs de Saint-Malo s'empressent de faire disparaître à la campagne capitaines, pilotes et marins expérimentés dont ils veulent conserver la compétence pour la campagne annuelle de pêche à la morue.

Après d'inutiles discussions avec ses concitoyens, Cartier voit rouge. Il se plaint au roi. Dès le 19 mars, un ordre très sec de François Ier interdit l'engagement de tous gens de mer avant que Cartier n'ait formé son équipage.

Malgré son éloignement, on se méfie des fureurs du géant Valois. Comme par enchantement, quais et tavernes retrouvent leur animation et Cartier le sourire.

Cartier quitte Saint-Malo le 20 avril avec 2 bateaux et les 61 meilleurs hommes qui se puissent ranger sur un rôle.

Le 10 mai, il jette l'ancre à Terre-Neuve. Cela prouve, s'il en est encore besoin, la maîtrise du Malouin et sa profonde connaissance de la route des morutiers.

Il arrive, hélas, trop tôt. Bloqué par les glaces, il ne parvient que le 27 à la baie des Châteaux, entre Terre-Neuve et le Labrador. Il note que l'on y fait « grende pescheries de molues ». Les navires sont en effet nombreux et appartiennent à toutes les nations de la façade occidentale de l'Europe.

Cartier oblique au sud-ouest et se met à suivre la côte nord. Il donne des noms à tous les points de reconnaissance : caps, îles, îlots, baies, embouchures, et baptise ainsi Toutes-Isles, Havre Saint-Antoine, Brest, rivière Saint-Jacques, Havre Saint-Servan où il plante la première croix du voyage. Hautes d'une quinzaine de mètres, ces croix avaient, en fait, fonction de balises, de marque de possession...

Il pousse encore 80 km et entre dans une grande baie, « un des bons abris du monde » où il trouve de nombreuses morues qu'il appelle aussitôt, avec modestie, « Jacques Cartier ».

Le 12 juin, après avoir parcouru environ 180 km depuis la baie des Châteaux, il rencontre un bateau de pêche de La Rochelle qui a manqué, à cause de la nuit, la baie de Brest et cherche sa route... Serviable au possible, Cartier monte à bord et conduit l'égaré jusqu'à « sa » baie. Là, il retourne sur son navire et fait halte un plus loin en voyant des feux sur le rivage. Pour la première fois, il rencontre des indigènes : le visage peint, les cheveux relevés en touffe, ils portent des vêtements de cuir. Pour lui, ces hommes qui possèdent des canots d'écorce de bouleau viennent de terres plus chaudes pour chasser le loup marin à la belle saison. Il ne fait que répéter là ce que tous les pêcheurs de morues racontent depuis longtemps.

Cartier tourne alors l'étrave de ses bateaux vers le sud, pour longer la côte ouest de Terre-Neuve. Il entre maintenant dans l'inconnu. En réalité, inconnu n'est pas le mot adéquat puisque sans doute de nombreux « égarés » ont déjà dû passer là, mais aucun n'a encore eu les moyens ou l'opportunité de matérialiser son passage sur une carte. Une nouvelle fois, Cartier baptise à tour de bras : le cap Double, les monts des Granches, le cap Pointu, les isles Coulombier, la baie Saint-Jullian, le cap Royal, le cap Latte, le cap Saint-Jean. Au cap Anguille, il parvient à la mer libre. Il y remarque de fortes marées et pense qu'il a trouvé un détroit.

Là, il oblique vers l'ouest, droit sur « la Chine ». Bientôt, Cartier rencontre trois îles courtes, « aussi pleines de ouaiseaux que ung pré de harbe ». Les Français s'arrêtent pour faire une chasse fructueuse. Le lendemain, Cartier donne l'ordre du départ et note sur son portulan ces îles sous le nom de Margaux.

Enfin, le 25 juin, il trouve ce qu'il n'avait pas vu depuis le départ de Saint-Malo : une terre fertile. Cartier la nomme comme l'amiral de France : Brion. Il y remarque d'innombrables morses qu'il décrit comme d'énormes bœufs qui ont deux grandes dents dans la gueule comme les éléphants.[1]

Puis, le 30 juin, il aborde une île imense : la future île du Prince-Édouard qui mesure 250 km de longueur. Il en fait le tour et s'émerveille des arbres, des prairies, des groseilliers rouges et blancs, des framboisiers, du blé sauvage. Il désigne un cap d'Orléans, aperçoit quelques canots dans une rivière qu'il ne peut approcher et qu'il appelle aussitôt rivière des Barques. De même, il appelle le cap où il a vu courir un indigène que l'on n'a pu rejoindre « Sauvage ».

Cartier est convaincu que la terre qui se développe à l'ouest est une simple barrière qui coupe la mer en direction du Cathay. Il décide alors de la remonter

---

1. « Moulte grans beuffz qui ont deux grans dans en gueule comme dans l'olifant. »

vers le nord et de profiter de la première ouverture pour la franchir.

Le 3 juillet, il s'arrête devant une baie profonde large de plus de 25 km. Il s'y engage et navigue à bon vent durant près de 200 km. Il range ses vaisseaux dans un abri qu'il nomme la conche Saint-Martin et descend à terre pour profiter des montagnes qui bordent l'eau. Cartier veut découvrir l'ensemble du pays de leur sommet. Sa déception est grande. A quelques milles plus loin, il voit nettement le fond de la baie.

DES PEIGNES, DES COUTEAUX, DES MICS-MACS...

Trois jours plus tard, de nombreux indigènes Mics-Macs arrivent. De loin, ils montrent des pelleteries au bout de bâtons. Cartier, qui est à terre avec seulement une dizaine d'hommes, recule en leur faisant signe de s'éloigner. Les autres rient, poussent des cris qui sont peut-être amicaux. Cartier fait tirer en l'air. C'est la débandade, mais une minute après, les Mics-Macs, encore plus empressés, sont de retour. Cartier fait alors tirer « deux lanses de feu qui passent en milieu d'eulx », entendez des fusées. Cette fois, les indigènes s'écartent et demeurent à distance. Le lendemain, ils sont de nouveau sur la plage. Un trafic s'établit. Contre des haches, des couteaux, un miroir, ils donnent tout ce qu'ils ont sur eux, au point de repartir tout nus.

C'est donc le 7 juillet 1534 qu'est consignée officiellement la première opération de traite. L'attitude des Mics-Macs, qui sont plus de trois cents à camper à un jet de pierre des bateaux, montre que l'habitude semble en être prise depuis longtemps.

Cartier quitte la « baie des Chaleurs » le 12 juillet. On ignore pour quelles raisons il l'a nommée ainsi, car il n'y a pas noté avoir eu plus chaud qu'ailleurs.

...ET PUIS, DES IROQUOIS

Le 14, Cartier entre dans une nouvelle baie, la future Gaspé. Le mauvais temps l'oblige à chercher un abri. Il y reste du 16 au 25 juillet. L'endroit est occupé par des Iroquois venus y pêcher durant la belle saison. Ils sont environ deux cents sous la conduite de leur chef « Donnacona ». Apparemment très pauvres, ils ne possèdent rien, en dehors de leurs canots et de leurs filets. Ils n'ont, bien sûr, aucune marchandise de traite.

Cartier, qui pense toujours à la Chine, distribue des couteaux, des peignes aux hommes, des clochettes aux femmes.

Les Iroquois chantent et dansent. Ils se frottent les bras et la poitrine, sans doute en témoignage d'amitié. Les Français s'en amusent beaucoup. Le 24 juillet, Cartier fait édifier une croix au futur cap Penouille, en grande cérémonie. Le chef Donnacona prend l'affaire à cœur. Il monte à bord accompagné de ses deux fils. Il « fait » un long discours — incompréhensible puisque tout se passe, selon Cartier, « par gestes et groignements » — en montrant tour à tour la croix, le paysage, sa poitrine, le navire et Cartier. Toujours en langage de sémaphore, celui-ci tente de lui dire qu'il faut y voir une balise et, avec un bon sourire, lui offre une hache en échange de la fourrure qu'il porte sur la poitrine. Donnacona s'approche tandis que ses fils l'aident à quitter son vêtement, les marins se jettent sur eux et les maîtrisent. Après un moment de juste stupeur, on les rassure en leur donnant à manger. Cartier « explique » qu'il veut conduire les deux fils du chef chez son roi. Il ajoute à la hache un sifflet de maître de quart. A bien regarder, Donnacona semble accepter, façon de dire qu'il doit cesser d'écumer.

Aussitôt, on attife les jeunes Iroquois en Français avec, s'il vous plaît, chemise, veste à livrée, braies, bonnet rouge et chaîne de cou en laiton. Cette fois, Donnacona paraît réellement impressionné. On en profite pour faire les adieux et l'on se quitte apparemment les meilleurs amis du monde.

Cartier se frotte les mains. Sur son livre de bord, il note qu'il a contracté une alliance avec une nation, sur le chemin de Cathay. Il fait route au nord, contourne l'extrémité des terres et, sans le savoir, pénètre dans le futur Saint-Laurent. Entre la terre et Anticosti, il croit voir continuer la côte, mais ce ne sont en fait que des bancs de brume, très fréquents à cet endroit. Il repart à l'est, longe la grande île, la contourne et arrive au détroit Saint-Pierre qu'il prend de nouveau pour une baie.

A présent, Cartier doit envisager le retour. Il se dirige vers les Blancs-Sablons, et touche terre au cap Thiennot, nom du chef des Montagnais qui montent à bord avec autant d'assurance que s'ils faisaient partie de l'équipage. Cartier « contracte une autre alliance » avec eux en leur offrant peignes, couteaux, clochettes. Il ne capture pas d'indigènes, car ses deux Iroquois manifestent déjà une vive hostilité aux nouveaux venus.

Les Montagnais parviennent, Dieu sait comment, à faire comprendre qu'ils ont vu beaucoup de navires au détroit de Belle-île. Cartier en conclut que les flottes de pêche s'apprêtent à rentrer en Europe. Il ne faut donc pas s'attarder.

Le 9 août, il est aux Blancs-Sablons, qu'il quitte le 15 « après messe dicte ». En route, l'expédition connaît trois jours de tourmente. Elle entre dans Saint-Malo le 5 septembre.

Sans avoir perdu un homme ni brisé une vergue, Cartier a exploré 2 600 km de côtes inconnues. Mais il n'a pas trouvé le chemin de Cathay, et a raté par deux fois l'entrée du Saint-Laurent.

LE BON VOULOUER DU ROY

Cependant, les deux fils de Donnacona, Donnagaya et Taignoagny, qui commencent à bredouiller le français, vantent sans relâche le fabuleux royaume de Saguenay, situé « tout en haut du grand fleuve où l'on marche sur l'or et les diamants ».

Le capitaine malouin apprend ainsi l'existence d'un grand fleuve qui s'enfonce loin dans les terres. Une nouvelle qui, on le comprend, le laisse plutôt perplexe.

Quoi qu'il en soit, le 30 octobre, Cartier reçoit commission de l'amiral Chabot d'avoir à continuer ses découvertes « selon le voulouer et commandement du roy ». Cet ordre est accompagné d'un bon de 3 000 livres. Cartier revend ses deux bateaux (sans doute des flûtes de 60 tonneaux) et s'équipe plus conséquemment. D'abord, il arme la *Grande-Hermine,* une caravelle, c'est-à-dire un navire très perfectionné, taillé pour les allures proches au vent et de faible tirant d'eau. Sa voilure est impressionnante : à un mât d'artimon, un grand mât, un trinquet et un beaupré, peuvent se hisser une grande latine, des voiles carrées (six) aux deux grands mâts et, sous le beaupré, la « civadière ». Le navire fait une quarantaine de mètres de long, huit de large et jauge une centaine de tonneaux. C'est l'outil rêvé pour naviguer dans l'inconnu. Christophe Colomb avait les mêmes caravelles.

Cartier arme ensuite la *Petite-Hermine* et l'*Émerillon*, deux navires plus petits, peut-être des flûtes identiques à celles de son premier voyage.

Les braves bourgeois malouins qui font preuve d'un bel entêtement recommencent leurs tracasseries de l'an passé. Plus un capitaine, plus un marin disponible. Cartier doit cette fois posséder des pouvoirs plus étendus, car il fait lui-même stopper tous les engagements avant qu'il n'ait rempli ses rôles.

Le 31 mars, l'opération est terminée : il a 110 hommes d'équipage, 30 pour chacun des petits et 50 pour la *Grande-Hermine*. Parmi tous les engagés, on relève le nom de deux « dom » Anthoine et Guillaume, distinction accordée aux prêtres séculiers. Contrairement au voyage précédent, Cartier paraît vouloir mettre Dieu de son côté.

Le jour de la Pentecôte, le 16 mai, tout le monde se confesse et le 19, après la bénédiction épiscopale, les navires quittent Saint-Malo. Le temps est épouvantable et des vents contraires soufflent en tempête. Il faudra cinquante jours pour gagner l'île aux Oiseaux, alors que l'an passé vingt jours avaient largement suffi.

Tandis que les navires roulent bord sur bord, il est temps de savoir comment on naviguait sur les mers quand les rois se pavanaient au Camp du Drap d'Or.

On pratique la navigation « hauturière », c'est-à-dire qu'on mesure grâce à l'astrolabe — on dit aussi l'« arbalète » — la hauteur des astres sur l'horizon en se fondant sur l'observation de l'étoile Polaire.

Christophe Colomb, qui, en dehors de ses visions, fut un pilote hors pair, a découvert la déclinaison magnétique et les lois de ses variations. Cette méthode révolutionnaire s'est récemment enrichie de la « méridienne », invention portugaise qui consiste à observer la hauteur du soleil à son passage au méridien. Grâce à des tables astronomiques, les *regimentos,* cette mesure permet d'obtenir la latitude. Voilà qui autorise l'ouverture des mers australes et aussi le calcul des situations en plein jour lorsque l'étoile Polaire n'est pas visible.

Le « pilotte » qui se tient au courant de toutes les nouveautés a donc la possibilité de connaître à tout moment sa latitude, sa dérive grâce au compas, sa vitesse, grâce à la « corde à nœuds » qu'il fait « filer » aussi souvent que possible, de même que l'écoulement du temps grâce au sablier. Comme dans la marine moderne, la cloche du bord « pique » les heures et les quarts. En comparaison de l'énorme matériel nécessaire aujourd'hui, ces instruments sont peu de chose. Et pourtant, c'est grâce à eux que les marins de l'époque, en moins d'un siècle, vont relever avec exactitude la totalité du littoral émergé terrestre. On ne saura mesurer la longitude qu'au milieu du XVIIIe siècle, après l'invention du chronomètre.

Le seul vrai problème qui reste posé est celui de la cartographie. Certains marins comme Verrazano ont le génie du trait juste, de l'orientation exacte; d'autres, non. Il en résulte souvent des contours d'îles ou de continents qui paraissent dessinés sur un ballon de baudruche distendu.

Qu'ils soient bons ou mauvais, durant des siècles,

les cartographes ont l'insupportable manie d'inscrire leurs légendes là où ils trouvent de la place, et non là où il convient. Cette toponymie prête donc le flanc aux interprétations les plus fantaisistes. Ajoutons que, sur les cartes, dessins et enluminures, destinés à retenir le regard des grands personnages à qui elles sont dédiées ne font qu'accroître la confusion. Il faut vraiment une âme de chartiste pour lire le moindre des Portulans ou alors les utiliser comme les pilotes de l'école portugaise qui tirent un calque des lignes principales et oublient le reste.

LE ROYAUME DE KANATA

Le 26 juillet, les trois navires se retrouvent enfin aux Blancs-Sablons. Une fois calmée la fièvre des retrouvailles, Cartier fait vérifier équipements et personnel, puis reprend aussitôt le voyage où il l'avait laissé l'an dernier.

Sorti des Blancs-Sablons, il recommence à baptiser avec rage : îles Saint-Guillaume, Sainte-Marthe, Saint-Germain. Il reconnaît au passage le cap Thiennot, s'arrête dans une anse (Saint-Nicolas) et va planter une grande croix sur un îlot en face. Dans son livre de bord, il explique minutieusement comment s'orienter sur elle pour pénétrer dans le port à divers vents, indications qui laissent supposer qu'à cet endroit il a eu des difficultés de navigation.

Il repart, longe Anticosti, revient à la côte nord, puis trouve une grande baie remplie d'îles et de bonnes entrées. Il la baptise Saint-Laurent. C'est plus qu'une découverte, cela frise la révélation.

Enfin, le 13 août, il pénètre dans le grand fleuve.

Ses deux « sauvaiges », qui parlent maintenant parfaitement le français, le guident très sûrement au large de Honguedo où ils ont « embarqué ». Au nord, à deux jours de bateau, commence le Saguenay, puis, beaucoup plus loin, se trouve le royaume de « Kanata ». Cartier aborde Anticosti, qu'il nomme Assomption, et repart en louvoyant. On sent qu'il ne veut cette fois laisser passer aucune opportunité de trouver le grand passage.

Les deux indigènes, décidément très en verve depuis qu'ils sont revenus dans leur pays, parlent à présent de Hochelaga, un autre royaume situé encore plus à l'ouest. En route, on baptise encore îles Rondes, que l'on appelle aujourd'hui Sept-Iles, bien qu'elles ne soient que six. On remonte un cours d'eau en barque (la rivière Moisie). Le 29, on touche trois îles que Cartier nomme Saint-Jean (îles du Bic).

Le 1er septembre, le Malouin se décide à prendre le chemin de « Canada ». Le 6, après avoir croisé des pêcheurs autochtones avec qui les fils de Donnacona relient connaissance, Cartier aborde par la rive nord une île trapue, et couverte de noisetiers. La récolte y est abondante, et voici l'île aux Coudres. On y fait en outre grande pêche de marsouins.

Le 7, les navires s'arrêtent devant un groupe de quatorze îles, dont la très vaste île de Bacchus ainsi nommée à cause du foisonnement de la vigne sauvage. Cartier abandonne pourtant ce nom un peu trop gaillard pour celui d'île d'Orléans. On jette l'ancre devant la côte sud. En face, une rivière coule au pied d'une montagne sur laquelle est bâtie une ville, ou plutôt un village : Stadaconé.

La Nouvelle-France cesse d'être un rêve, un nom

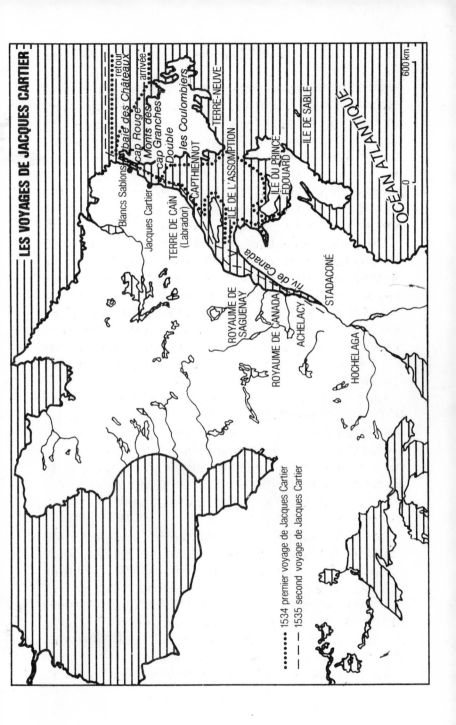

LES VOYAGES DE JACQUES CARTIER

OCÉAN ATLANTIQUE

ÎLE DE SABLE

TERRE-NEUVE

ÎLE DE L'ASSOMPTION

ÎLE DU PRINCE ÉDOUARD

retour

arrivée

baie des Châteaux

cap Rouge

Monts des
Granches

cap Double

les Coulombiers

CAPTHIENNOT

Blancs Sablons

Jacques Cartier

TERRE DE CAÏN
(Labrador)

riv. de Canada

ROYAUME DE
SAGUENAY

ROYAUME DE CANADA

ACHELACY

STADACONÉ

HOCHELAGA

600 km

0

·········· 1534 premier voyage de Jacques Cartier
— — — 1535 second voyage de Jacques Cartier

vague sur une carte qui ne l'est pas moins, pour devenir une aventure.

LA SAGA DE HOCHELAGA

Le 8 septembre, alors que la veille les Français ont festoyé de maïs, de citrouilles et d'anguilles avec des indigènes de la rive nord, Donnacona, seigneur de Canada, paraît. Très satisfait bien sûr de retrouver ses fils, il veut aussitôt se faire conter par le menu leur merveilleux voyage chez le roi du seigneur Cartier. Le récit n'en finit pas et l'on festoie de nouveau.

Du 9 au 14 septembre, Cartier cherche un havre sûr pour y passer l'hiver. La reconnaissance se fait en barque d'un côté et de l'autre du fleuve. Il finit par choisir de s'installer dans l'amont de la rivière Sainte-Croix, ainsi nommée en l'honneur de la fête du jour, au confluent d'un ruisseau qui s'appellera un jour le Lairet. En face, à l'est, se dresse la colline sur laquelle est bâtie la cité de Donnacona : Stadaconé. C'est aujourd'hui le cap aux Diamants.

On visite la cité du chef iroquois : une vingtaine de longues cabanes sans aucune protection. Des chiens et des enfants courent et se roulent pêle-mêle, une petite foule jacassante, et çà et là des anciens, mystérieux, figés, affectent une noblesse taciturne, Donnacona, entouré de son conseil et de ses partisans, fait les honneurs de sa maison. Avec beaucoup de fierté, il montre en particulier cinq peaux de tête d'hommes qu'il assure avoir arrachées lui-même du crâne de ses ennemis.

Pour la première fois, on découvre cette tradition du scalp dont Anglais et Français feront largement les frais. Cartier et ses compagnons admirent poliment, puis resdescendent aux bateaux préparer le départ pour Hochelaga. Voilà des mois que Domagaya et Taignoagny lui ont promis de l'y conduire. Les deux guides officiels se font tirer l'oreille. Or, les indigènes commencent à dire que le pays n'est pas beau, la rivière est dangereuse. Il y a même des monstres, des fantômes. Cartier ne met pas longtemps à comprendre que les habitants de Stadaconé veulent se garder les avantages du commerce qui va s'établir avec les Français. Donnacona tient à couper les Iroquois de l'amont de tout contact avec eux. Celui-ci découvre en outre que le royaume de Hochelaga est suzerain de tous ceux du bas Saint-Laurent. Voilà qui est bon à savoir. Pendant plusieurs jours, Cartier assiste à un grand déploiement de diplomatie de la part des indigènes. D'abord, ils se disent fâchés de voir les Français se déplacer avec tant de bâtons de guerre (mousquets). Ils font surgir des diables cornus, vêtus de peaux de chiens, envoyés, affirment-ils, par le dieu Cudouagny pour avertir les hommes que, s'ils vont à Hochelaga, ils mourront tous parmi les glaces et la neige. Des vieilles femmes ont des visions de malheur; les rêves des guerriers sont absolument néfastes, ils le jurent.

Cartier sourit avec bonne humeur, parfois il s'esclaffe et répond toujours avec fermeté qu'il partira à Hochelaga avec ou sans guide. Les conseillers politiques de Donnacona doivent y perdre leur iroquois.

Le grand chef revient à la charge le 17, alors que les Français rentrent « d'avoir mouillé des balises ». Cette fois, il offre une fillette et deux garçons, à condition que Cartier n'aille pas dans ce très maudit pays de Hochelaga. Le Malouin accepte ces étranges cadeaux et répond aimablement que, de toute façon, il partira tôt. Domagaya sort alors du rang et déclare

que puisqu'il en est ainsi il conduira Cartier pour lui
éviter de plus grands malheurs. Aussitôt Taignoagny
bondit et insulte son frère. Il quitte la place, suivi de
quelques supporters. Cartier ne sourcille pas, offre
deux épées et un chaudron de bronze au grand chef et
fait donner le canon pour corser la fête. Panique chez
les Iroquois (Taignoagny prétendra que plusieurs
personnes ont été tuées). Mais Cartier sourit de plus
belle, car il a fait tirer à blanc. Toute la nuit, on
entend des cris et des chants lugubres, scandés au
tambour.

Le lendemain Domagaya est malade, il ne peut
accompagner Cartier et, le 19 septembre, l'*Émerillon*,
le plus petit des bateaux français, quitte la rade sans
interprète. Il y a, semble-t-il, quarante personnes à
bord.

Le 20, on prend terre à une soixantaine de kilomètres de là, devant le village d'Achelacy où Cartier et
les siens sont attendus. Cette étrange étape mérite
une explication et un petit retour en arrière.

Lorsque, l'année précédente, Cartier s'est assuré
des deux fils de Donnacona, c'est dans l'intention de
les présenter au roi, bien sûr, mais c'est surtout pour
en faire ses interprètes lors de son prochain voyage.
Dès leur premier jour à bord, on a commencé à leur
apprendre le français. Il est tout à fait certain que si
ce n'est pas Cartier lui-même qui s'est chargé des
opérations, il a dû les surveiller de très près. Il y allait
de son honneur de chef d'expédition. Qu'aurait dit le
roi ou l'amiral si ses « Indiens » s'étaient exprimés
comme des calfats ? Nous savons que durant tout
leur séjour en France, Jacques Cartier n'a pas quitté
ses « élèves ». D'une certaine façon, ils étaient sa
caution.

Or, à vouloir apprendre sa langue à de parfaits

étrangers, on ne peut faire autrement que se teinter fortement de la leur. On prend des notes, on compare les mots nouveaux à ceux que l'on rabâche. A son retour en Amérique, Cartier et plusieurs de ses fidèles comprennent donc certainement l'iroquois presque aussi bien que Domagaya et Taignoagny le français.

Les Iroquois, en revanche, ne se doutent probablement pas des connaissances des Français. Pour eux, les Français sont des sots, des imbéciles dangereux, faciles à duper puisqu'ils ont « des cheveux » sous le nez et souvent au menton.

Cette conviction de la bêtise indéfectiblement liée à la barbe et à la moustache coûtera cher au peuple amérindien tout entier. Quand les « Indiens » finiront par admettre que les Européens sont souvent plus intelligents et toujours plus retors qu'eux, à commencer par ceux qui se rasent « exprès », il sera bien trop tard pour modifier la direction dramatique de leur histoire.

Donc, en ce 29 septembre, Cartier s'arrête devant Achelacy. L'affaire est bien préparée. Depuis quinze jours, il se rend compte que les habitants de Stadaconé lui sont de plus en plus hostiles, et que la « cité » du royaume de Canada n'est qu'une bourgade assez crasseuse et sans ampleur. Il ne veut pas compromettre la politique générale de son énorme entreprise pour satisfaire le caprice d'une poignée de villageois, au demeurant assez futés. Alors, dès les premiers jours, il navigue, va partout où ses barques peuvent le mener et prend contact avec d'autres « nations ».

Pour les indigènes sa venue n'est pas une mince affaire. Elle signifie peut-être la fin de la misère hivernale qui sévit tous les ans. Ces hommes « poilus » ont des armes formidables, des couteaux qui coupent infiniment mieux et plus longtemps que les éclats de silex. Ils donnent des hameçons pour un rien et soignent volontiers les malades. Personne ne sait encore ce que sera la fabuleuse et redoutable aventure de la traite, mais on peut croire que ces esprits neufs le devinent et déjà y adhèrent de tout leur cœur.

La montée vers Hochelaga tourne à la marche triomphale. D'abord, le seigneur d'Achelacy. Il est là, sur le rivage, entouré des siens. Comme présents il donne deux enfants, une fille, un garçon. Cartier garde la fillette et offre les habituels cadeaux : couteaux, haches, des médailles *agnus Dei* en étain. Les deux chefs s'embrassent, échangent des serments, et les Français rembarquent.

Le 28, Cartier entre dans un grand lac très peu profond, qu'il nomme lac d'Angoulême. Il doit continuer le chemin en barque, suivi d'une trentaine de compagnons. Des indigènes les précèdent en canot. A chaque halte, de respectables vieux chefs accourent le saluer. Un peu partout, on chante et on danse. C'est l'été indien. Il fait encore beau et chaud, et tout porte à croire que les jolies « sauvaiges » exécutent en très simple appareil leur fameuse danse de l'eau qui donnera tant d'émotion à Champlain dans quelque soixante-dix ans.

Enfin, le 2 octobre, Cartier arrive à Hochelaga. Il y a sans doute un millier de personnes pour l'accueillir. Chacun veut absolument jeter dans les barques qui un poisson, qui une galette de maïs. Cartier fait la désormais traditionnelle distribution de couteaux, de haches et autres « besongnes ». Le soir, il se retire au large. Toute la nuit, sur le rivage, les indigènes chantent et dansent.

Le lendemain, on visite la fastueuse capitale.

Cinquante cabanes longues, mais cette fois entourées d'un robuste rempart de pieux en trois rangs. Sur place, la réception tourne vite à la cérémonie religieuse. Le roi local, un homme tout perclus, se fait porter devant Cartier et lui demande de le soigner. Le Malouin fait ce qu'il peut en le massant un peu. Bientôt, c'est la ruée. On lui conduit tous les malades, les boiteux, les gens si « vieils » que les paupières leur tombent sur les joues.

Probablement ému de tant de misère, Cartier ne sait plus que faire. Il leur lit « mot à mot » les Évangiles. Les Iroquois n'y comprennent évidemment rien, mais pensent sans doute qu'il prononce des incantations pour guérir. Il fait aussi force signes de croix et achève la « cérémonie » par une distribution de couteaux, de « patenôtres (?) » de haches et de médailles. Il ne demande rien en échange et sa générosité renforce l'admiration de la foule.

Avant de quitter l'île, il tient à gravir le Mont-Royal, une colline escarpée qu'il a baptisée la veille, pour se faire une idée du panorama en amont. Du sommet, il aperçoit les proches rapides de Lachine. On lui explique qu'après trois grands sauts semblables, la navigation reprend aisément durant trois lunes. De l'autre côté, débouche une rivière. Cartier croit comprendre qu'elle vient du fameux royaume de Saguenay, pays du cuivre, de l'or et de l'argent, où vivent de puissants ennemis, les « agojudas ». C'est la rivière des Outaouais.

Cartier donne l'ordre de départ. Des Iroquois particulièrement solides les portent à bord des barques, comme des enfants. Il faut seulement une journée pour rejoindre l'*Émerillon*. Durant deux jours, le Malouin explore les rives du Grand Lac et

noue des intelligences avec les populations riverai-
nes.

Le 5, il fait voile pour Canada, où il débarque le 11
octobre. L'ambiance a beaucoup changé, ses marins
ont dû construire un fort devant les navires pour se
garantir contre l'hostilité marquée des habitants de
Stadaconé.

Cartier s'enferme dans sa cabine pour réfléchir.

Dans la journée (tout va décidément très vite et
Cartier doit avoir de remarquables réflexes), Donnacona, ses fils et quelques notables viennent le saluer.
On feint de prendre plaisir à ces retrouvailles, mais
les regards demeurent froids. L'affaire de Hochelaga
n'est pas digérée.

Les Français ont la possibilité de repartir avant le
grand mauvais temps. Pour des navigateurs de leur
trempe, cette traversée n'est que routine. Cartier y
pense, mais ce serait couper les autres contacts,
rompre peut-être des alliances si laborieusement
nouées. Or, le havre est bon, les navires bien
affourchés.

Avant la nuit, il prend la décision de rester. Le
lendemain, il fait seulement creuser un fossé autour
du rempart, renforcer l'enceinte, tailler des embrasures pour quelques canons, et il établit un guet
permanent.

Le « roi » d'Achelacy vient le voir et lui apprend que
les fils de Donnacona, forts de leur expérience, préten-
dent qu'ils ont tort de donner des vivres aux Français
en échange d'objets de peu de valeur. Les Français
peuvent et doivent payer davantage. De fait, les Iroquois de Stadaconé se montrent de plus en plus
exigeants. En un sens, ils ont raison, mais il faut choisir
son moment pour adopter ce genre d'attitude. Or, les
temps de la grande traite ne sont pas encore venus.

Au fil des jours, d'autres chefs, inquiets de la tournure des événements et sans doute plus au courant qu'ils ne l'avouent des propos tenus en secret contre les étrangers, viennent discrètement au fort de Cartier et l'assurent de leur dévouement. La fillette « offerte » par Donnacona s'échappe (ou bien on la fait échapper). Le Malouin montre les dents, et le 5 novembre elle est de retour. Les interprètes, passablement félons, demandent du pain et surtout du sel dont ils ne peuvent plus se passer. Cartier leur en fait livrer.

LA TISANE D'ANEDDA

Avec les premières bourrasques de neige, la situation paraît s'arranger un peu. Mais le froid qui surprend les Français est épouvantable. Il y a bientôt quatre doigts de glace à l'intérieur du fort et des bateaux. Début décembre, le scorbut, une maladie dont on ne sait rien, fait son apparition. Le 15 février, sur 110 hommes, seuls une douzaine sont indemnes. Cartier est du nombre. En désespoir de cause, on a recours à la prière publique. Elle se montre de peu d'effet, et il y a bientôt une vingtaine de morts.

Cartier oblige tous ses gens à faire du bruit pour simuler une grande activité, car il ne fait plus de doute que les Iroquois n'attendent qu'un signe pour se ruer sur les Français. Or, Domagaya, sans le savoir, va sauver l'expédition. Cartier, qui sort tous les jours, le voit soudain très touché par la mystérieuse maladie. Une semaine plus tard, il le revoit en pleine forme. Cartier comprend aussitôt que les autochtones possèdent un remède efficace. Impossible de le demander comme un secours, ce serait un massacre. Il ruse à brûle-pourpoint. « Un de mes domestiques est revenu malade de chez ton père, dit-il d'un ton rogue, fais-lui porter la bonne médecine et dépêche-toi. » L'interprète ne peut imaginer un instant la situation des Français. De mauvaise grâce, il expédie deux femmes qui ne veulent même pas entrer dans le fort et se contentent d'apprendre le secret au seigneur Cartier.

La recette est simple : on fait une décoction avec l'écorce et les feuilles de l'anedda. On boit la tisane ainsi obtenue et on fait ensuite des compresses de la pulpe. On apprendra beaucoup plus tard que cet arbre est le *Thuya occidentalis,* ou cèdre blanc, dont l'écorce et surtout le feuillage gras ont une très haute teneur en acide ascorbique (vitamine C). Après avoir hésité un moment à goûter au breuvage, les Français se décident. Il sont sauvés en quelques jours. Vingt-cinq d'entre eux sont morts. On ne peut même pas les enterrer, tant la terre est gelée.

Le reste de l'hivernage se passe en « tournées » chez les peuples les plus proches. Cartier, tout le monde le sait à présent, se débrouille parfaitement en iroquois. Avec quelques compagnons, il enrichit considérablement ses notes sur les mœurs et la vie des indigènes. La relation qu'il publiera fourmille d'observations rigoureuses et fines.

Ses connaissances récemment acquises lui permettent de « comprendre » l'importance de sa découverte. Grâce aux alliances qu'il renforce tous les jours, le grand fleuve a toutes les chances de devenir une formidable avenue française. Or, c'est là une voie de pénétration unique dans la façade d'un continent par ailleurs rébarbatif.

Jusqu'à la fin de l'hiver, Cartier écrit, écoute, palabre, dessine et fume la pipe. Car il a notamment découvert l'usage du tabac auquel il trouve un goût de poivre.

Au tout début du printemps, alors que les glaces commencent de craquer, Donnacona avertit le Malouin qu'il s'en va chasser une quinzaine. Il reste absent deux mois.

Pour les Français, la chose est claire, les gens de Stadaconé ne se sentent pas de taille à affronter le fort et sa garnison. Ils sont partis chercher des renforts au loin.

Le 21 avril, Domagaya se présente et annonce le retour de son père. Il ne traverse pas la rivière, ce qui augmente la méfiance des marins.

Cartier envoie deux compagnons avec un beau présent en l'honneur du chef et la consigne d'ouvrir l'œil. Ils remarquent de nouveaux « sauvaiges, beaulx et puissans » qu'ils ne connaissaient pas. Taignoagny paraît au centre d'une grande animation. Il fait raccompagner les visiteurs en leur expliquant qu'un clan dirigé par un certain Agona se dresse contre le pouvoir en place. L'interprète promet monts et merveilles si les Français veulent bien débarrasser le royaume de ce trublion en l'emmenant par exemple en France.

Cartier, sentant qu'une crise se prépare, décide de « jouer finesse ». Il noue des relations secrètes avec Agona, se met d'accord avec lui pour faire ériger le 3 mai, jour anniversaire de la découverte de la Sainte-Croix, une grande croix. Son intention, cette fois-ci, est de marquer la prise de possession du pays. Sur la croix, on grave : « *Franciscus primus, Dei gratia Francorum regnat.* » Tout le monde vient, c'est une grande fête. On entre dans le fort. Sur un signe de Cartier, de robustes mariniers s'emparent de Donnacona, de ses fils et de deux autres personnages importants, mais anonymes.

Les Iroquois crient beaucoup, de loin, mais nul n'approche. Seules des femmes apportent des vivres au chef pour le voyage en mer, car, c'est entendu, Donnacona s'en va avec Cartier, mais reviendra dans douze lunes.

Les Français désarment la *Petite-Hermine*, faute d'équipage suffisant. Cartier part deux jours en barque, sans doute saluer les chefs amis des environs.

Le 6 mai, il quitte Stadaconé.

Agona est roi, de par la volonté française. On ne sait pas s'il assiste au départ des voiliers sur le grand fleuve.

Le 16 juillet, Cartier jette l'ancre dans la rade de Saint-Malo.

FRANÇOIS Ier ET LES MIRAGES DE SAGUENAY

Si Domagaya et Taignoagny ont mal choisi leur moment pour faire monter les prix (y a-t-il un bon moment pour cela ?), Cartier n'en a pas trouvé un meilleur pour rentrer en France. François Ier vient de renvoyer l'ambassadeur de Charles Quint et la guerre éclate de nouveau entre les deux monarques. Le retour de Jacques Cartier, de ses compagnons et des dix indigènes qui l'accompagnent est donc d'une remarquable discrétion. Enfin, l'année suivante, profitant d'une accalmie, le roi de France accorde audience à son navigateur.

Cartier a eu le temps de se préparer. Il fournit un long rapport écrit, puis, carte et notes en main, il « explique » ce fleuve fabuleux qu'il a remonté sur près de 2 000 km (il dit 800 lieues, ce qui est exagéré de plus du tiers). Il apporte une douzaine de pépites

« taillées en forme de petites plumes » dont il n'avait fait mention nulle part, ainsi que des fourrures magnifiques.

Donnacona, vêtu à l'européenne, se confond par sa mine hautaine avec les autres courtisans. Parlant à présent français il confirme les dires de son « ami » Cartier et décrit avec beaucoup de verve le Saguenay. Lorsqu'on connaît l'homme, il n'est pas impossible d'imaginer qu'il ne croit pas du tout à cet El Dorado et veut seulement pousser les Français à un pas de clerc pour les mieux retenir à Stadaconé. Malgré sa superbe, ce vieux chef d'une tribu du paléolithique doit songer en secret à la pauvreté de sa « capitale » devant Chambord, Blois, le Louvre ou les remparts de Paris.

François Ier est très content, il offre la *Grande-Hermine* à Cartier et probablement quelques présents à l'Iroquois, puis fait raccompagner ses hôtes, « les nécessités de la guerre, vous comprenez »...

En 1538, Charles Quint signe la paix de Nice. Dès l'automne, le roi lit le rapport de Cartier auquel est jointe la proposition d'une expédition de 400 personnes dont 274 demeureraient à Stadaconé. Cette proposition n'est sans doute pas due à Cartier qui raisonnait en découvreur, et non pas en colon.

Cependant, Lagarto, pilote réputé et surtout espion au service de son pays, est souvent reçu à la cour de France. En bon Portugais, il essaie par tous les moyens de dégoûter François Ier de ses projets. Rien n'y fait. Le roi ne parle que des trésors du Saguenay et des merveilles contées par Cartier et Donnacona, hommes volants, peuples d'unijambistes dépourvus de fondement, etc.

Il est surprenant qu'un esprit aussi positif que Cartier se soit amusé, le mot n'est pas trop fort, à

cautionner de telles balivernes. A moins que, sachant la cour incapable de s'intéresser longtemps à
des problèmes concrets et par là ennuyeux, il ait
voulu exciter l'imagination assez enfantine des cour-
tisanes et de leurs chevaliers servants.

Quoi qu'il en soit, Cartier et son Saguenay qu'il n'a
jamais vu deviennent une mode. Bals et intrigues ne
laissent pas beaucoup de temps pour les loisirs, et c'est
seulement en 1540 que Cartier est nommé capitaine
général de tous les navires qui feront partie de la
prochaine expédition en Canada, Hochelaga et Saguenay s'il peut y aborder.

Entre-temps, le Malouin a rétabli ses affaires en
faisant la course avec d'autres corsaires, probablement à bord de sa *Grande-Hermine*. Le roi lui doit
encore 3 000 livres (30 millions de centimes) sur les
frais de la dernière campagne. Il pille Portugais et
Espagnols. On possède à ce sujet les lettres de
doléances entre les bureaux de Charles Quint et
l'ambassade d'Espagne en France.

Par commission royale, au mois de novembre,
Cartier est autorisé à recruter cinquante prisonniers, pourvu qu'auparavant ils ne se soient pas
rendus coupables de crime de lèse-majesté divine ou
humaine (entendez royale) ni qu'ils aient été
convaincus de fabrication de fausse monnaie. Au
pays supposé de l'or, un faux-monnayeur peut aisément faire sombrer les finances toujours chancelantes
du royaume. Ce recrutement est étrange. Il ne s'agit
plus uniquement de mariniers et pas encore de colons.
L'enthousiasme royal est assez confus.

Une fois de plus, Cartier a des difficultés pour
composer ses équipages. Le 12 décembre, François Ier
ordonne une enquête avec poursuites judiciaires et les

marins réapparaissent. Tout va bien. La tradition est sauve.

A Paris, on sait maintenant que l'affaire est importante. On suppute d'énormes profits. Alors, à l'ombre du trône, des convoitises s'éveillent. Courtisans et aventuriers de ruelles « chauffent » le roi, promettent, dénigrent, s'agitent. On montre à l'envi que ce pauvre Cartier — il n'est même pas gentilhomme ! — ne peut prétendre au gouvernement d'une expédition où il y va de l'honneur de Sa Majesté.

Les gens de cour bruissent. Ils veulent, ils exigent un des leurs aux commandes. Pour finir, un mois après la confirmation des pouvoirs de Jacques Cartier, le roi nomme froidement le seigneur La Roque de Roberval chef unique de l'expédition. On imagine sans peine l'effet de cette nouvelle sur le découvreur du Canada.

Roberval est un grand seigneur protestant, expert en arts militaires et en diplomatie. Cartier s'incline. On lui remet 31 350 livres pour la mise en ordre de 5 navires choisis par son « chef ». Il manque encore 8 600 livres, que le Malouin met de sa poche.

On embarque des victuailles pour deux ans, des charrettes « toutes faites », des outils agraires et puis 20 vaches, 4 taureaux, 100 moutons, autant de chèvres, 10 cochons, 20 chevaux et 4 juments.

Roberval est autorisé à concéder des fiefs hérédiraires. Des nobles véreux ou décavés sont aussitôt candidats, mais pas le menu peuple, comme on peut s'en douter. Alors on étend le recutement dans les prisons qui relèvent des juridictions de Rouen, de Dijon, de Paris, de Bordeaux et de Toulouse.

Des chaînes d'hommes et de femmes promis à la potence, à la roue ou, ce qui ne vaut pas mieux, à la prison « à discrétion » convergent vers Saint-Malo.

Certains sont « amendables », d'autres de francs voyous. En fait, il nous est difficile de juger la nature de leurs crimes qui n'étaient pas du tout estimés selon l'éthique actuelle.

Cartier est fin prêt le 10 avril. Roberval s'occupe en Champagne et en Normandie de constituer son parc d'artillerie. Cartier part en tête, sur ordre royal, le 23 mai. Outre le matériel et le bétail, on estime que 1 500 personnes s'entassent sur les 5 navires. C'est énorme.

Le temps est si exécrable qu'il faut trois mois pour parvenir au mouillage de Stadaconé.

Agona est toujours le chef. Il n'a, dit-il, revu aucun Européen depuis cinq ans. On fête à grands cris la masse imposante des arrivants.

Cartier ne s'attarde pas et va installer ses gens en amont, à l'embouchure de la rivière Cap-Rouge. Les Français construisent un fort sur le rivage, un autre au sommet de la falaise. Ils font des essais d'ensemencement. Le 2 septembre, Cartier renvoie comme prévu deux navires.

Cependant, Roberval ne se manifeste toujours pas. Il a oublié le Canada et fait la guerre de course avec, sans doute, une partie du matériel prévu pour l'expédition.

Le 7 septembre, le nouvel établissement baptisé Charlesbourg-Royal étant en sûreté, Cartier part vers le Saguenay. Il remonte certainement au-delà de Hochelaga. Sa relation manque de clarté, car des cahiers se sont peut-être perdus. On devine que le cœur n'y est plus et qu'il a probablement des difficultés à tenir son monde en main. D'une manière générale, les Iroquois, y compris le seigneur d'Achelacy, deviennent hostiles.

L'hiver se passe sans catastrophe majeure, grâce à la tisane d'anedda. Il meurt cependant assez de monde pour qu'il faille établir un cimetière.

LE CAP AUX DIAMANTS

Sur le cap, heureusement, on trouve de l'or, des diamants « sous les piés », puis une mine de fer et une autre d'ardoise. Ce Saguenay qui hante toutes les cervelles serait-il tout près ? Cartier fait remplir des tonneaux de ces inestimables trésors. Mais, avec le printemps, Cartier manque de tout pour asseoir son établissement et chaque jour qui passe voit de nouvelles désertions.

La coutume indigène de l'adoption favorise certainement l'hémorragie des colons. Nombre d'ex-prisonniers sont en droit de se demander si on ne les pendra pas au retour. Alors, même si certains d'entre eux sont dévorés à l'iroquoise, ce n'est qu'un risque de plus à courir. La présence de ces « adoptés » dans leurs rangs encourage évidemment l'hostilité des Iroquois.

Cartier ne dit nulle part ce qui est arrivé à son bétail. En juin 1542, il abandonne.

Les pertes humaines ont dû être considérables puisque à l'arrivée il y avait 5 bateaux surchargés et que pour repartir on semble être à l'aise avec 3 navires seulement.

Le 9 juin, Cartier s'arrête à Saint-Jean de Terre-Neuve pour se ravitailler avant la traversée. Il y trouve Roberval qui vient d'arriver, fort occupé à régler une querelle entre Français et Portugais.

Voilà un an que le « grand chef » devrait présider

aux destinées de l'expédition. Surtout, il aurait dû lui
fournir le matériel lourd qui lui faisait défaut. Cartier
vient le saluer (ou bien lui dire ses quatre vérités) à
son bord. Entouré de ses gentilshommes, Roberval
accepte ses « devoirs » et lui ordonne de rebrousser
chemin pour l'accompagner. On ne sait trop ce que
les deux hommes se dirent, mais Cartier, pourtant
homme de devoir s'il en fut, leva l'ancre dans la nuit
et arriva officiellement à Saint-Malo au début septembre. Ce voyage paraît bien long.

ROBERVAL : L'ABANDON

Durant ce temps, Roberval appareille enfin avec
ses soldats, sa cour et le « commun » : au total, 200
personnes. Ils sondent au passage quelques rivières
et s'installent sur l'emplacement que l'expédition
précédente vient de quitter. Roberval prétendra
avoir construit les deux forts du cap Rouge. Sur
place, les arrivants trouvent le blé semé au printemps
et en font la récolte. Roberval appelle sa colonie
France-Roy et le futur Saint-Laurent France-Prime.
    Comme Cartier, il renvoie deux vaisseaux en
France, mais avec cette fois mission de rapporter des
vivres. Il entre en contact avec les Iroquois qui lui
font bonne mine. ils ont certainement été impressionnés par les démonstrations de force des soldats, les
feux de pelotons et la puissance de l'artillerie, à côté
de laquelle les couleuvrines de Cartier font figure de
pétards. Ils choisissent la paix, en attendant mieux.
    L'hiver arrive très vite. Quelques semaines après,
le scorbut se déclare. Il n'est nulle part fait mention
de la tisane d'anedda. 50 Français meurent. A la

lumière de cette catastrophe, on mesure vraiment l'antipathie entre Cartier et son chef, Roberval. Le Malouin a gardé le secret pour ses hommes.

A France-Roy, tout va de mal en pis. Au printemps, Roberval est confronté avec de graves problèmes de discipline. Il fait pendre un certain Gaillon, mettre aux fers et fouetter d'autres membres de l'expédition. Ayant ainsi remis de l'ordre, il décide d'armer 8 barques pour aller à Saguenay. Quelques jours plus tard, l'une d'elles chavire. Bilan : 8 morts. Une autre revient avec du blé. Avec 6 barques, Roberval atteint sans doute Hochelaga et navigue quelques lieues sur la rivière des Outaouais. Il en est fait mention sur une carte publiée en 1550.

Lorsque, vers la fin juin, les navires de ravitaillement se présentent, ils repartent aussitôt avec les débris de la colonie. En septembre, Roberval est en France...

L'or et les diamants de Jacques Cartier ne sont que de la ferrite et du quartz. La grande entreprise tourne à cette comédie italienne qui commence à faire fureur. De tant de sacrifices, il ne demeure qu'un proverbe : « Faux comme diamant du Canada. »

Il faudra attendre soixante-cinq ans pour revoir les Français sur le grand fleuve, lors de la fondation de Québec par Champlain et Pont-Gravé.

Voici le moment venu d'aller regarder les « Indiens » à l'état pur, tels qu'on ne les verra jamais plus.

3/ Indien :
« Qui ne peut se domestiquer. »

Le mot « Indien » est né d'une confusion, tout le monde le sait, les premiers navigateurs croyant aborder aux Indes. On a cependant très vite distingué les Indiens de l'Amérique, ceux des Indes. C'était le bon sens, nos aïeux ne s'y sont pas trompés.

Pour remédier à cette erreur originelle, on a récemment inventé le mot « Amérindien ». Mais si l'on utilise ce terme qui désigne parfaitement l'ensemble des peuples américains dans leur diversité, il faudrait également changer le mot « Iroquois », puisque ce mot est, à l'origine, une insulte algonkine qui veut dire « Vraie Vipère ». Combien d'autres encore sont employés à tort ou à travers ? A sauter ainsi d'une erreur à l'autre, on risque fort de tout embrouiller pour peu de bénéfice.

Un renard, un lynx, un chevreuil peuvent s'apprivoiser à l'amitié d'un seul. Ils ne sauraient devenir chien, chat angora, ou chèvre, et l'orignal, malgré sa force colossale, n'a jamais pu tirer une charrue.

Gardons nos Indiens pour ce qu'ils sont. Ils ont conquis une assez belle place dans nos rêves comme

dans notre histoire. Lorsqu'on les appelle « sauvages », redonnons à cet adjectif le sens superbe qu'il
avait au xvie siècle : « Qui ne peut se domestiquer. »

PLUS D'OURS QUE D'INDIENS

Quand les Français entrent dans le Saint-Laurent
et rencontrent les premiers Indiens, ils ne se doutent
pas qu'ils ont la chance extraordinaire de rencontrer
nos ancêtres de la fin du paléolithique[1].

Blancs de peau, bruns de poils, les Indiens ressemblent à des Basques ou à des Aquitains. Ils ont les
dents éclatantes et l'haleine suave grâce à la gomme
de pin qu'ils mâchonnent à longueur de journée.

La moitié d'entre eux forme la famille algonkine ou
algonkienne. Ce sont des nomades qui vivent de
chasse, de pêche, de cueillette et ont une très haute
opinion de leurs qualités. L'autre moitié, au sud et à
l'est des Grands Lacs, la famille iroquoise ou
iroquoïenne fait pratiquer à ses femmes une agriculture très primitive.

Les uns comme les autres ignorent le sel. Ils ne
connaissent que les outils de pierre, d'os ou de bois.
Ces outils sont d'une facture grossière. Or, l'archéolo-
gie nous apprend que, mille ans avant notre ère, leurs
ancêtres travaillaient la pierre avec la perfection des
habitants du grand néolithique. Cette régression est
d'autant plus inexplicable qu'au xvie siècle, si les Indiens possèdent encore des haches et des couteaux de

---

1. Les premiers classements archéologiques (très approximatifs) de
Boucher de Perthes ne commenceront d'être admis qu'à partir de 1855.

silex dont rougirait l'homme de Cro-Magnon, ils savent en revanche faire des poteries fort joliment décorées, bien qu'elles n'aillent pas au feu. Pour le reste, s'il est impossible de poursuivre la comparaison puisqu'il n'est rien resté des vêtements et des objets de bois, on peut cependant admettre que les hommes du début de notre néolithique avaient une civilisation très proche de celle des Indiens nord-américains avant l'arrivée des Européens.

Leur domaine est immense. Le bassin du Saint-Laurent est long de 3 800 km — de Gibraltar à Narvik. A cela, il faut ajouter, sur la rive droite, le Nouveau-Brunswick, le Maine, le New Hampshire, le Vermont et la plus grande partie de l'État de New York; sur la rive gauche, l'Ontario, tout le pays compris entre le fleuve et la baie d'Hudson, ainsi que le Labrador. C'est grand comme cinq, six fois la France. A cette échelle, on n'est plus à une fois près.

Combien d'Indiens vivent, au xvie siècle, dans cette étendue difficilement imaginable ? Les chiffres les plus précis nous sont fournis par les travaux réalisés à l'université de Laval, au Québec :

Esquimaux : 1 000;
Montagnais (Oumanioeks, Naskapis, Papinachois) : 6 000;
Abénaquis (Mics-Macs, Attikamègues) : 5 500;
Algonkins (et Cris) : 15 000;
Loups (ou Mohicans) : 5 000;
Hurons : 30 000;
Neutres : 10 000;
Petuns : 15 000;
Iroquois : 15 000.

Chacune de ces « nations » est divisée en une

infinité de peuples subdivisés en clans. Chacun dispose d'un nom particulier et d'un *otem,* le totem des romans d'Indiens. Par exemple, les Iroquois sont divisés en cinq nations principales : les Agniers (ou Mowaks); les Onneiouts (ou Oneidas); les Onontagnés (ou Onondagas); les Goyogouins (ou Cayugas) et les Tsonnontouans (ou Sénécas). Au total, donc, ils sont à peine une centaine de milliers, c'est dire qu'il y a sans aucun doute plus d'ours que d'hommes.

Écrasés, complètement dominés par la puissance de la nature, les Indiens ne l'occupent guère. Ils se contentent de naviguer sur les innombrables lacs et cours d'eau, vivant la plupart du temps à proximité des rives. Leur ingéniosité les a rendu maîtres de leurs déplacements, grâce au canot d'écorce l'été, aux raquettes et à la traîne l'hiver.

Depuis les temps les plus reculés, à travers le territoire, s'est établi un trafic nord-sud et sud-nord qui correspond aux migrations animales. Aux grands rendez-vous annuels des foires de troc — une bien vieille habitude commune à tous les peuples —, l'ambiance est à la dignité taciturne. Se taire surtout en public est le fin du fin du savoir-vivre. On se contente d'un « Hug » d'assentiment ou de refus. Les lecteurs de bandes dessinées doivent savoir que ce « Hug » se prononçait « Haô ». Dans un grand déploiement de costumes brodés et d'odeurs tenaces, on échange du maïs, du tabac, des citrouilles, des vêtements, de la viande ou du poisson fumé, des peaux, des fourrures, des canots, des raquettes, des pipes, de menus outils, des filets, des cordes d'arc...

Il y a une monnaie de compensation : l'*esnoguy.* Il s'agit de lamelles taillées dans un coquillage particulier. Elles sont polies, percées, enfilées pour former des colliers parfois larges d'une main, les fameux

LES PRINCIPALES TRIBUS INDIENNES

ESQUIMAUX

BEOTHUKS

CRIS

MONTAGNAIS

ABENAKIS

SOURIQUOIS

SIOUX

SAUTEUX

ALGONQUINS

NÉPISSINGUES

ETCHEMINS

MANDANES

RENARDS

HURONS

IROQUOIS

PÉTUNS

NEUTRES

MOHICANS

PÉORIAS

ANDASTES

CHEYENNES

ILLINOIS

MIAMIS

DAKOTAS

LOUPS

SÉMINOLES

ARKANSAS

CHICACHAS

OCÉAN ATLANTIQUE

0   1500 km

wampums dont on parlera tant plus tard. Leur valeur varie avec leur couleur, les plus chers tirant sur le brun ou le violet.

La pêche de ce coquillage donne lieu à un rite macabre qui peut s'énoncer comme une recette de Tante Lucie : Prenez un cadavre frais (il y a toujours bien un prisonnier qui traîne). Immergez le corps abondamment tailladé, un soir de lune. Retirez-le de l'eau le lendemain. Chaque plaie est remplie d'*esnoguys* voraces. Il n'y a plus qu'à faire la cueillette.

Si l'effroyable hiver canadien est dur pour tous, c'est surtout au printemps que se joue la vie ou la disparition d'un clan. Les chasseurs nomades s'en tirent plutôt mieux que les « cultivatrices ». Ceux-là ont souvent l'idée de faire des « caches » d'anguille ou de viande fumée qu'ils retrouvent au cours de leurs pérégrinations... quand des voisins ne les ont pas découvertes avant eux.

LES IROQUOIS : DES SPARTIATES

Une cité iroquoise

C'est un village qui, dans le meilleur des cas, n'arrive pas à égaler un chef-lieu de canton de la Creuse ou de la Corrèze.

Il est fortifié, sauf s'il est assujetti à une cité plus puissante (Stadaconé n'a pas de remparts parce qu'elle est vassale de Hochelaga). La fortification est à « trois rancs de pieux très haults », nous apprend Cartier. Champlain dira la même chose. On y a établi des courtines, des chemins de ronde où sont entassées des pierres destinées à d'éventuels assaillants. La porte unique se ferme de l'intérieur, « à barre ». Les gonds sont en chêne et reposent sur une grosse pierre creusée.

Contrairement aux vieux bourgs d'Europe où les maisons se lovent, s'entassent anarchiquement à l'intérieur des remparts, dans la cité iroquoise, symbole de la ville américaine du futur, une trentaine de cabanes longues (environ 25 m sur 8) sont construites à angle droit autour de la place centrale, une sorte de forum où se dressent les poteaux de torture.

L'intérieur des cabanes, qui ressemble à un hangar sans cloison, est séparé en lotissements approximatifs affectés à une famille qui dispose toujours, en principe, d'un foyer. On dort et mange de chaque côté d'une courte banquette de terre où cinq ou six feux brûlent en permanence.

Il n'y a pas de cheminée, rien qu'un trou dans le toit d'écorce. L'atmosphère est généralement irrespirable et la promiscuité complète. Dès qu'il pleut ou qu'il fait froid, les chiens s'invitent. Comme ils tiennent chaud, ils sont les bienvenus. Sur les murs extérieurs sont mis à sécher en rangs serrés les épis de maïs. Grâce à cette habitude, les cabanes assez misérables ont une allure rebondie, dorée. Cela ne dure pas, hélas, autant qu'il le faudrait, car il semble bien que jamais ou presque les Iroquois n'ont l'idée de cultiver assez de maïs pour assurer la soudure avec la prochaine récolte.

Dans la cité, les femmes s'activent avec une sorte de fureur. Elles font un peu (très peu) de ménage et, durant l'été, gagnent les champs en troupes jacassantes, accompagnées des enfants. En Iroquoisie, la méthode de culture est unique. Les femmes assemblent des « mottes » d'environ un mètre de hauteur sur deux de diamètre. Sur ces mottes, elles plantent une à une les graines de maïs qu'elles ont fait au préalable macérer dans l'eau. Cette germination accélérée permet souvent de « gagner » sur l'hiver qui arrive encore plus vite qu'on ne le craint. Tous les jours, elles passent entre les mottes pour arracher les mauvaises herbes, sarcler avec un bâton ou une pierre plate. La récolte se fait à la main.

Les femmes et chemins élèvent aussi des mottes, mais enterrent des poissons autour. Les Mics-Macs cultivent plutôt des champs allongés comme les nôtres, et plantent chaque graine au bâton, en compagnie d'un hareng. Citrouilles et courges sont uniformément plantées sur des mottes. Chez les Pétuns, le tabac est cultivé avec le même soin, mais sur des mottes mêlées de cendres de bois.

A la soupe !

Dans la cité iroquoise, ce sont également les femmes qui « font » la cuisine. Au menu, un seul plat, toujours le même : la *sagamité*.

La *sagamité*, c'est du maïs en grain ou en farine cuit avec de l'eau et puis ce que l'on trouve à proximité : écureuil, rat, débris de viande, poisson, courge, citrouille, écorce, grenouille, morceaux de chien, de castor... La *sagamité* mitonne près du feu à longueur de journée. Celui qui a faim se sert. Les ménagères, au retour des champs — toujours proches à cause d'un ennemi possible —, se contentent de rajouter de l'eau, du maïs et ce qu'elles ont pu trouver en route. C'est le cercle infernal. Pour cuire cette horreur, une seule méthode : on fait chauffer des pierres que l'on jette dans le chaudron, en cuir, en

écorce, parfois en terre. On retire les pierres refroi-
dies à la main, tout au fond du ragoût, et l'on
recommence. C'est là une très délicate opération
dont se chargent de très vieilles femmes, fort sales.

La *sagamité* constitue le menu unique des hommes.
S'ils désirent varier l'ordinaire, il leur faut aller à la
chasse.

Pour les femmes, ce n'est pas tout à fait la même
chose. Celles qui ont « leurs fleurs », comme disait
Rabelais, ou qui ont des grossesses avancées, se
réfugient dans une cabane spéciale. Elles s'y prépa-
rent ce que l'on appellerait sous d'autres latitudes
des petits plats — sujet de grogne ou de plaisanterie
chez les époux.

La flemme des hommes

La paresse des guerriers iroquois est incroyable.
Depuis des éternités, messieurs les hommes du clan
se jugent trop nobles pour les travaux de ménage et
d'intendance. Ils laissent les femmes faire absolument tout, y compris les cordes des arcs.

Alors, peu à peu, les Iroquoises ont été les seules à
connaître les besoins du village. D'abord, elles ont
demandé, puis elles ont vite décidé. Ce sont elles qui
savent quand les champs, faute d'engrais, sont devenus trop pauvres et qu'il faut émigrer, donc un jour se
battre. De tels déplacements sont nécessaires tous les
dix ou quinze ans. Ce sont elles aussi qui ordonnent
la guerre « à prisonniers ». Au cours d'une cérémonie très spéciale, elles passent même « commande »
de captifs, pour les adopter, en faire des esclaves ou
pour les livrer à la torture, car il faut bien s'amuser
un peu.

Avec la neige, les hommes partent en commando chasser les grands animaux de la forêt qu'il leur est tout à fait impossible de capturer en d'autres saisons. Ce sont les mêmes équipes, avec les mêmes armes et, pourrait-on dire, la même tactique que pour la guerre. Afin de venir à bout des grandes bêtes, il faut plus que de la ruse ou de la ténacité, il faut du courage, beaucoup. Mais les guerriers emplumés (une plume par ennemi scalpé) en ont à revendre, et c'est en triomphe, même s'ils pleurent un ou deux morts, qu'après avoir averti, invoqué, remercié l'esprit qui habite leur proie, qu'ils rapportent au village l'ours ou l'orignal qui s'est laissé surprendre.

C'est l'occasion d'un repas « à tout manger », cérémonie qui est tout le contraire de la prévoyance. Même s'il s'agit d'un orignal dépassant largement la tonne, le clan doit absolument tout dévorer dans la journée qui suit la capture. Tout, cela veut dire jusqu'au plus petit morceau de viande collé à un os, jusqu'à la plus infime parcelle d'intestin (non vidé, bien sûr). Pour arriver au bout du festin, les participants réinventent la technique du *vomitorium* chère aux Romains.

En un jour, on gâche la nourriture de plus d'une semaine. La famine suivra...

Le Grand Esprit

Avec la disette qui sévit pratiquement tous les ans, se multiplient les appels au Grand Orenda (Manitou chez les Algonkins). Les Iroquois dansent aussi énormément, jusqu'à l'abrutissement. Pour la guerre, les récoltes, la pluie, le soleil, la chasse, pour tout. Le rythme est constant : c'est un 1/4 avec le temps fort sur le l scandé au tambour, au tam-tam (tambour de bois) ou en frappant dans ses mains.

Les Indiens connaissent parfaitement la survie de l'âme. Après la mort et un temps de probation réduit par l'action glorieuse des descendants, l'âme ira dans le pays des grandes chasses, des grandes pêches et aussi des belles fesses, un paragraphe mystérieusement oublié par la plupart des auteurs qui ont consacré leur talent à ce sujet. C'est là, en tout cas, la promesse d'un Paradis assez réjouissant qui n'est pas sans rappeler celui de Mahomet.

Indiennes et Indiens rêvent. Ils rêvent énormément et apprennent dès l'enfance à se souvenir de leurs songes pour les commenter en famille, en compagnie des sorciers et même à l'échelon du clan. Le rêve, ce voyage dans le temps ou au royaume des morts, a une importance capitale dans la vie de l'individu comme dans celle de la collectivité.

L'Indien abandonne une campagne fructueuse, sur le rêve néfaste d'un seul. Au contraire, il s'entêtera jusqu'à la mort dans une alliance ou un combat perdu, à cause d'un seul rêve. L'attitude assez déroutante qui en résulte choquera toujours les Anglais qui tiendront les *Red-squine* en profond mépris, même lorsqu'ils les auront pour alliés. Les Français s'y habitueront vite, et même bien des coureurs des bois se mettront au rêve à l'indienne, coutume qui, on s'en doute, arrangera rarement leurs affaires avec l'administration.

Le Grand Esprit Orenda est suivi d'une cour olympienne assez imprécise. Il est fort difficile de savoir par exemple si le dieu de la glace est celui de la glace en général ou bien celui de la glace de la fontaine, ou de la glace suspendue à une certaine branche l'hiver.

Le royaume des grands dieux se trouve dans l'au-delà. Mais ici-bas, les esprits sont innombrables et peuplent les arbres, les fleurs, les animaux, l'eau, la neige, la glace, les trous, les montagnes, le maïs et même... la *sagamité*. De culture iroquoise ou algonkine, les Indiens sont animistes. Ils le sont avec une conviction et une force absolument stupéfiantes. Une grande partie de leurs lointains descendants qui sont aujourd'hui avocats, maçons, physiciens ou marchands de pop-corn, et généralement chrétiens de surcroît, continuent à parler aux arbres, aux fleurs ou à l'esprit des bêtes sauvages le plus naturellement du monde.

Ne rions pas. La fortune de nos chiromanciennes devrait nous faire rentrer sous terre.

Les armes, les outils

Nous le savons déjà, l'outillage des Indiens est des plus réduits. L'outil de base, l'arme reine, c'est la hache de pierre, le *tomahawk*[1]. C'est fou ce qu'il ressemble au biface, cher aux archéologues classiques.

Avec le *tomahawk*, on coupe des perches et des poutres, on détache l'écorce du bouleau dont on fait aussi bien des canots que des cabanes et même des chaudrons. On enfonce des pieux ou le crâne d'un adversaire avec la même aisance, et, d'un coup circulaire avec le tranchant, on scalpe l'ennemi au sol. A noter que l'on ne meurt pas toujours de cette opération.

---

1. Les Français de France prononcent « tamaouaque », les Indiens « tomahôôk ».

Les éclats qui résultent de la confection du *tomahawk* servent de grattoirs, de ciseaux. Un peu retouchés, ils font des perçoirs, des petits couteaux. Avec des os, les Indiens fabriquent des alènes pour joindre le cuir des vêtements à l'aide de minces lanières ou de fil de chanvre qui pousse partout à l'état sauvage. On fait aussi des aiguilles pour percer l'*esnoguy* et faire des broderies grossières, mais superbes.

Les Indiens sont d'une habileté diabolique avec un seul véritable outil : la dent de castor. A la fois rabot, ciseau, racloir, tranchet, il suffit de trois ou quatre de ces dents pour permettre à un artisan de fabriquer entièrement un canot capable de porter jusqu'à quatre hommes, 500 kg de fret et naviguer pendant des milliers de kilomètres sur les lacs et les fleuves.

Ils possèdent des harpons d'os pour la grande pêche, des filets de chanvre lestés de poids en silex taillé, quelques baïonnettes en ardoise dont on ne connaît toujours pas exactement l'usage, et puis l'arc, objet de beaucoup de soins. Fait de frêne, de hêtre ou d'if, il est minutieusement retouché au racloir et poli au sable fin. La corde, toujours graissée, est en tendons de caribou tressés. Les flèches sont des baguettes éventuellement redressées à l'eau chaude. La pointe en silex est rarement liée. On se contente de la faire adhérer au fût à l'aide d'une colle extrêmement forte tirée de la vessie natatoire des poissons. Les flèches sont empennées de « plumes d'aigles », disent les guerriers qui ne sont pas à une vantardise près, car le plus souvent il s'agit de rémiges d'oies sauvages. Sinon, vu le nombre de flèches tirées annuellement, les aigles canadiens auraient dû avoir une pénible existence de fantassins.

La fabrication de la traîne est un chef-d'œuvre de

patience puisque avec les outils cités plus haut il faut faire des planchettes de plus dè deux mètres de long.

Le bois des raquettes est lui aussi courbé à l'eau bouillante. Le filet est fait de tendons. La technique du bois formé (ou déformé) à l'eau chaude est très développée. Le manche du *tomahawk* est, à ce propos, un miracle de solidité et d'équilibre.

Chez les guerriers iroquois, dont le désœuvrement n'est plus à démontrer, existe une industrie très particulière : celle de la confection des pipes. Libres de leur temps, souvent artistes, ils sculptent ou modèlent des fourneaux très instructifs pour ceux qui s'intéressent à leur histoire puisqu'ils représentent des têtes avec tous les détails de coiffure, des outils, des dieux ou même des saynètes ayant pour acteurs des animaux ou des humains.

Le vêtement

Les Iroquois ne sont pas frileux. Ils savent se « chauffer de l'intérieur ». Cette faculté indiscutable rejoint celle de leur résistance à la douleur que nous verrons plus loin. Hommes et femmes vont et viennent à peu près nus, vêtus d'un simple pagne et d'une ceinture à laquelle sont accrochés leurs armes ou leurs outils.

Avec la venue du froid, ils consentent à s'habiller, braies, mitasses (jambières) et mocassins *(mawk'sen)* pour le bas, veste frangée et une grande couverture sur les épaules pour le haut. Au plus fort du froid, ils ajoutent une espèce de camisole en castor. Quant aux femmes, elles portent une robe d'une pièce, souvent brodée. Quand le gel devient féroce, elles s'habillent comme les hommes, pantalons, veste et camisole, tout cela en cuir, bien sûr, le plus apprécié étant celui de l'orignal.

Elles transportent leurs nourrissons sur le dos, liés à une planche. Il arrive que, dans certains clans, on déforme le crâne des enfants à l'aide de bandelettes.

Les femmes se coiffent avec soin et s'oignent d'huile ou de graisse d'ours. Elles ne se fardent pas. En revanche, pour les hommes, le maquillage est une opération très compliquée. Les peintures ou tatouages dont ils se parent ont une signification précise. C'est un peu leur carte d'identité. A la façon dont un guerrier est coiffé et peint, on connaît sa nation, son clan, son rang et souvent aussi ses intentions.

Les Iroquois, pour qui la guerre est la principale occupation, poussent le défi jusqu'à tracer en rouge la ligne à suivre pour bien réussir le scalp. Là non plus, il n'y a pas de quoi s'étonner. Le grand chic chez les voyous d'avant-guerre consistait à se faire tatouer une ligne autour du cou avec cette légende : « A découper selon le pointillé. » Il reste que, pour les Indiens, le défi avait beaucoup plus de chance d'être relevé...

La médecine

Elle est assurée par le *chaman*, le sorcier ou encore l'homme-médecine, et ne semble pas être d'une efficacité remarquable puisque la première chose que demandent les Indiens aux Français c'est de les soigner. Ils possèdent cependant une pharmacopée étendue et capable de remédier à la plupart des affections, sinon des grands maux. La tisane d'anedda en est la preuve. Ils connaissent les tisanes abortives, des décoctions pour soulager, sinon guérir, la fièvre des marais. Ils savent soigner efficacement les morsures venimeuses, les douleurs rhumatismales, etc.

Les autres maladies étant le fait du mécontentement d'un esprit, on ne peut en venir à bout qu'à l'aide de prières, de sacrifices. Quand le scorbut frappe les premiers hivernants, Cartier lui-même, qui n'est pourtant pas un esprit futile, a recours à la prière publique.

L'homme-médecine est dans le même cas. Il connaît pourtant des thérapeutiques de groupes capables de surprendre. Quand on a tout essayé sur un malade, y compris la satisfaction des esprits qui auraient des raisons d'être contrariés, on fait appel au Grand Orenda, source de vie. On entasse dans la cabane du patient tous les couples qu'elle peut contenir (et, nous l'avons vu, les cabanes sont fort grandes), puis ordre est donné de forniquer à grands cris et grand acharnement, tandis que, rangés autour du malade, l'homme-médecine et ses assesseurs marmonnent gravement leurs incantations.

Par ailleurs, hommes et femmes pratiquent plusieurs fois par an la « suée », une sorte de sauna. Le *chaman* l'utilise ainsi que le jeûne pour entrer en communication avec l'au-delà, pour prédire l'avenir du clan, mais surtout à des fins thérapeutiques.

En chirurgie, les Indiens savent remettre un os brisé, recoudre une plaie. Ils n'ont rien pour arracher une dent, mais connaissent d'excellents remèdes pour calmer la douleur chez les femmes. Chez les hommes, toute douleur est un excellent entraînement.

Une société moderne ?

Comment ces guerriers les plus féroces et les plus courageux, les Spartiates du Nouveau Monde, vivent en matriarcat et mangent comme des gorets ?

Comme elles ne sont pas plus sottes que leurs compagnes d'Occident, leurs femmes s'arrangent pour suggérer leurs volontés aux quelques vieux *sachems* un peu gâteux qui forment le conseil des anciens. L'honneur est sauf.

De fait, c'est donc une société matriarcale. En théorie, c'est autrement compliqué. Il semble qu'il y ait un règlement « pour la galerie » très noble, très équilibré. Mais chacun fait tout son possible pour le bafouer.

Les Iroquois vivent dans une sorte de communauté primaire. Tout est à tout le monde, surtout la terre arable. Seulement, ce « tout le monde » s'arrête aux frontières du clan. Même à l'intérieur d'une nation, il ferait beau voir qu'un clan empiète sur le terrain ou touche à la récolte d'un autre. La communauté s'arrête aussi à la possession des objets personnels. Le vol est un sujet constant de disputes et de jugements de la part des *sachems* du conseil.

A l'intérieur de la cité iroquoise, la merveilleuse communauté ne s'applique qu'aux choses sans grande valeur, une couverture, un outil (mais pas un *tomahawk*), une place pour dormir, la *sagamité* et, bien sûr, les filles qu'il est tout à fait impossible de tenir en sujétion pour la raison du matriarcat.

A l'extérieur, la terre appartient collectivement au clan, car il faut toutes les femmes pour la cultiver. On partage aussi le grand gibier tout comme les prisonniers puisqu'une grande partie des hommes a été nécessaire pour leur capture.

La place de chef est élective et les pouvoirs qui y sont attachés ne paraissent pas exorbitants. On constate cependant qu'un chef élu (ou pas) conserve son pouvoir autant qu'il le peut, c'est-à-dire tant qu'un *tomahawk* ne vient pas remplacer dans l'urne votive (un chaudron) les petits bâtonnets de couleurs qui sont traditionnellement prévus.

Encore une fois, il n'y a pas de quoi s'émouvoir; ces mœurs politiques nous sont familières. La différence profonde entre les Indiens et nous est ailleurs : c'est la liberté.

Tant qu'il n'est pas prisonnier de guerre, l'Indien est libre au-delà de tout ce que nous pouvons imaginer.

Enfant, nul ne se soucie de le corriger pour quelque sottise que ce soit. Adulte, si c'est une fille, elle a sans restriction aucune le droit de choisir son époux et d'en « essayer » autant qu'il lui plaira.

Il existe une cabane, fort attrayante pour les jeunes guerriers et sans doute aussi pour les autres, où s'entassent à grands rires les jeunes filles en « estat d'aller à l'homme ». Ainsi parle Cartier, qui s'étonne de voir les pucelles « calées en bordeau », entendez bordel. Tant qu'elles n'ont pas choisi d'époux, elles se montrent fort accueillantes et de mœurs tout à fait libres.

Passé cet heureux temps, elles sont, hélas, clouées à leur foyer par les enfants. Elles ne songent pas à s'en plaindre, car elles savent que c'est sur elles que repose l'avenir du clan. Si leur époux les abandonne, elles en « adopteront » un autre.

L'homme fait rigoureusement ce qui lui plaît, y compris changer de clan et même de peuple. Personne n'y trouvera à redire. Ce sont les nécessités de l'existence qui l'amènent ou le retiennent à la communauté. Il ne va à la guerre — très souvent — que parce qu'il est volontaire ou bien parce qu'on a su le persuader. Le chef de guerre, qui n'est d'ailleurs pas forcément le patron du village, doit être avant tout un orateur très convaincant, comme dans la Grèce antique.

On comprend qu'il est assez difficile de gouverner ces anarchistes absolus. Mais un tel système explique aussi la durée de commandement des « seigneurs » que personne ne se soucie vraiment de déloger, pour peu qu'ils sachent se faire oublier au niveau individuel.

La guerre

Chez les peuples cultivateurs, la guerre est liée à la propriété collective ou individuelle de la terre. Les Iroquois ne se dérobent pas à cette loi. Ils y ajoutent, bien sûr, la sainte justification de la vengeance et puis la gloire, l'honneur, etc.

Ce sont en général les femmes qui déclenchent la guerre : soit qu'il faille changer de résidence pour trouver des terres neuves, soit pour se fournir en hommes qu'elles adopteront, à la suite d'une mort, des pertes dues à une guerre malheureuse ou à une épidémie. Les Iroquoises ne savent remédier à une diminution de leur peuplade que par un massacre. Il arrive, mais cela est beaucoup plus rare, qu'une expédition ait pour but l'adoption de femmes, car le mariage entre clans ou entre nations résout ce problème.

Une crise commence par les jérémiades des femmes qui pleurent et crient. Bien vite, on fait état de songes dans lesquels de glorieux ancêtres (lâchement

assassinés) réclament vengeance. Il ne manque pas
de guerrier ou de jeune vierge très belle pour assurer
que la victoire est au bout de la prochaine expédition.
Ils en sont sûrs puisqu'ils l'ont rêvé. Ce genre
d'affirmation ne se discute pas. Alors, se révèlent ou
se réveillent les vocations guerrières, et tout d'abord
celles des chefs. Pour être chef de guerre, il faut avoir
quelques moyens puisque chaque discours enflammé
doit être sanctionné d'un festin (*sagamité*, citrouille,
courge et pièce de gibier ou grand poisson). Ces
manifestations prouvent en même temps que dans la
communauté iroquoise il y a des riches et des pauvres, encore que la richesse en *sagamité* ne soit peut-être
pas celle rêvée par les ambitieux ordinaires.

De festins en discours, la fièvre monte et bientôt les
femmes viennent pousser des clameurs devant la
cabane où sont réunis les futurs légionnaires. Là, à la
suite des minutieux calculs qu'elles ont faits, elles
passent commande de prisonniers et promettent sans
doute mille félicités aux vainqueurs. Ceux-ci s'élec-
trisent et l'on passe à la danse de guerre, jusqu'à
l'aurore suivante.

Dans le calme du petit matin, les guerriers prennent leurs armes, leurs vivres, et quittent discrètement la cité. Après avoir soigneusement vérifié le
manche de leur *tomahawk*, ils s'en vont, leur carquois
bourré de flèches et leur arc bien tendu. Dans un
petit sac, ils emportent un peu de farine de maïs,
quelques galettes (*sagamité* cuite sur une pierre brû-
lante) et dans un autre de la mousse sèche et des
brindilles pour pouvoir allumer du feu par n'importe
quel temps. Au cou, pendu à un lacet de cuir, les
guerriers ont un autre sac qui contient de quoi
renouveler leurs peintures de guerre et leur talisman
particulier.

Les Iroquois sont des soldats redoutables, car ils sont aussi féroces et courageux que les autres Indiens, mais beaucoup plus disciplinés au combat.

Là encore, la « propagande » iroquoise est prise en défaut. En principe, chaque guerrier fait ce qu'il veut, se bat comme le lui suggère son « esprit ». Le chef ne peut que lui donner des avis toujours discutables. Il est bien évident que, grâce à cette admirable tactique, un groupe assaillant ne peut que récolter des défaites. Or, des centaines de récits et de relations d'attaques iroquoises montrent que l'attitude du chef est toujours identique : le chef iroquois commande, très fermement, et ses hommes lui obéissent. Ils sont d'une efficacité stupéfiante et il n'est pas rare qu'un parti d'une trentaine de guerriers sème la terreur et la désolation sur des centaines de kilomètres... Aux grandes foires de troc ou aux assemblées de nations, les guerriers raconteront ce qu'ils voudront. C'est tout de même plus joli de passer pour de subtils démocrates que pour les sujets bien disciplinés d'un chef prestigieux.

Dans son déroulement, la guerre indienne est totale, avec sa ruse, sa sauvagerie et la ténacité incroyable des guerriers, qui, pour réussir une embuscade, savent rester des jours entiers sans manger, boire ni faire un mouvement. Dans ce domaine, les Iroquois sont comme le tonnerre. On ne les voit que lorsqu'ils frappent.

Quand un ennemi est « coincé », c'est-à-dire lorsqu'il ne peut plus compter sur ses armes ni sur la détente formidable de ses jarrets pour s'enfuir, on ne lui dit pas « Haut les mains », mais « Assieds-toi », ce qu'il fait. Si l'assaillant a perdu, il rend ses prisonniers sans discuter et prend leur place; s'il a gagné, les malchanceux sont liés et ensuite particulièrement maltraités jusqu'à la cité qui se trouve parfois fort loin.

Lorsque les vainqueurs sont rentrés à la maison, remparts gardés et portes bien closes, les prisonniers sont répartis en trois lots. Les adoptés, les esclaves et ceux promis au poteau.

Peignées, huilées de frais, si l'on peut dire, les femmes font leur choix suivant les commandes qu'elles ont passées et les pertes humaines de la campagne.

Les adoptés sont aussitôt libérés, lavés, soignés, habillés. Ils vont prendre la place des morts et se plient sans hésiter à ce rééquilibrage des ressources démographiques. C'est d'ailleurs leur intérêt, car s'ils refusent, ils sont aussitôt dirigés vers les poteaux.

Pendant que les esclaves sont attachés et jetés dans une cabane, les condamnés, les plus nombreux, sont répartis à grandes exclamations parmi les différents groupes du clan. Plus il y a de prisonniers, plus le chef de guerre assure sa popularité. Même les enfants « touchent » un ou deux futurs suppliciés. Quoi qu'il arrive, les femmes sont toujours « servies » les premières en prisonniers de toutes catégories.

La fête va commencer.

Les adoptés ne sont absolument pas obligés d'y prendre part, mais s'ils participent aux réjouissances, ils montrent une excellente éducation.

Lorsque les premiers missionnaires s'évertueront à traduire leur langue difficile pour faire un dictionnaire, le fin du fin des professeurs indiens consistera à donner une « salauderie » pour une expression pieuse ou édifiante. Les premiers sermons en langue « sauvaige » auront un succès fou.

Lorsque l'on considère ces guerriers paresseux, blagueurs, un peu vantards, ces commères bavardes et travailleuses qui dirigent le village en sous-main, ces enfants gâtés, cette liberté impossible nulle part ailleurs, on est tenté de comparer, de confondre cette civilisation avec un rêve de Marcel Pagnol, un très beau rêve.

La torture

Brusquement, tout bascule, tout craque. Nous voici dans un monde d'horreur insoutenable.

Les condamnés sont liés aux poteaux tandis que, nous l'avons dit, les autres attendent, prostrés, à quelques pas.

C'est à qui, dans l'allégresse, inventera un nouveau supplice. On coupe les doigts l'un après l'autre avec les dents, ou bien on les brûle jusqu'à la main dans un fourneau de pipe. On scalpe, évidemment, parfois avec l'ongle, parfois avec une arête de poisson. On écorche vif un membre, un ventre. On arrache les testicules ou on coupe la verge avec une hache rougie. On tranche les articulations. On arrache les muscles en tordant les tendons sur un morceau de bois fendu. On brûle le crâne à vif avec des pierres chaudes ou des brandons. On brise les dents, tranche le nez, les oreilles. On oblige le prisonnier à manger un morceau de sa propre chair. On fait des guirlandes avec ses intestins... cependant que les sorciers veillent soigneusement à maintenir le malheureux en vie et surtout en capacité de souffrance.

Cela dure des heures, parfois des jours, dans une liesse absolument atroce. Le supplicié ne se plaint pas ou s'excuse d'un cri échappé par une insulte ou un nouveau défi à ses bourreaux. Il reste calme, olympien, répétant son chant de mort, commentant avec mépris les tortures inimaginables que ses tortionnaires, hors d'eux, lui infligent.

Lorsqu'il est mort, on lui tranche la tête et son « propriétaire » ou, plutôt, celui qui l'a le mieux torturé, femme, guerrier ou enfant, se gorge de son sang... enfin de ce qui reste. Le corps dépecé est jeté dans une marmite d'eau bouillante préparée à l'avance. Le malheureux finira dévoré par ses ennemis.

Ces fêtes effroyables se prolongent tant qu'il y a des prisonniers. Aucun ne songe à s'enfuir, même au plus fort du délire, ce qui leur serait pourtant facile. Jusqu'au dernier souffle du dernier d'entre eux, ils demeureront impassibles au sein de l'hystérie collective.

Lorsque le dernier prisonnier s'est éteint, que, gavé de sa chair, le clan s'endort, les chiens font le ménage. Le lendemain, on n'en parlera plus que sur le ton employé chez nous pour évoquer la fête du pays.

Les esclaves travaillent jusqu'à ce qu'ils s'échappent ou meurent de besoin. Ils sont parfois sacrifiés un jour d'ennui. Quant aux adoptés, ils font définitivement partie du clan et même du peuple jusqu'à participer, s'ils le veulent, aux guerres futures. Ils passeront ainsi éventuellement au poteau de tortures de leurs anciens parents...

LES ALGONKINS : DES NOMADES ASSEZ GASTRONOMES

Dans la forêt sans limites qui s'étend à l'ouest du bassin du Saint-Laurent sur plus de 3 000 km de long et parfois 1 500 de large, les Algonkins nomadisent d'un bout de l'année à l'autre et suivent le caribou, la montée des saumons ou celle des anguilles, les oies sauvages, l'orignal, etc.

Ils ont, par clan, le terrain de chasse à peu près délimité, généralement par une rivière ou par un lac. En cas de famine, ou parfois simplement par esprit d'aventure, ils vont plus loin. Dans ce pays, cela n'est pas une vaine expression.

Certains partis en chasse, souvent des jeunes avec leurs épouses, avancent si loin qu'ils n'en reviennent jamais. Ils seront massacrés ou le plus souvent adoptés par des cousins du bout du monde. Les Algonkins sont chasseurs, pêcheurs, et leurs femmes pratiquent une cueillette très complète de baies, de feuilles aromatisées, de champignons et de fruits sauvages comme le raisin, les pommes, les prunes.

Obligés de tuer presque tous les jours pour vivre et faire vivre le clan qui dépasse rarement 300 individus, les Algonkins sont beaucoup moins portés à la guerre que les Iroquois ou leurs cousins, les Hurons. Ils se targuent plus volontiers du titre de grand chasseur que de celui de guerrier.

Grands, forts et pas bêtes

Sur le plan physique, ils sont plus grands que les autres Amérindiens. Leurs femmes sont superbes dans leurs jeunes années. Sveltes et rondes à la fois, elles sont capables d'efforts identiques à ceux des hommes. Ni le jeûne, ni les distances inimaginables qu'elles doivent parcourir par tous les temps ne les empêchent d'allaiter leurs nourrissons, liés sur une planchette, et dès les mauvais jours complètement engoncés dans une double peau de castor, poil dedans, poil dehors.

Les Algonkins sont surprenants à plus d'un titre. Par exemple, la sélection naturelle laisse vivre par un jeu inexplicable ceux qui, parmi les plus forts bien sûr, ont également le plus d'allure, de noblesse d'attitude, comme si cette qualité que l'on pourrait prendre pour une excroissance spécifiquement humaine avait sa place secrète et nécessaire dans l'équilibre de la nature canadienne. Il en résulte un peuple de seigneurs dont l'harmonie physique étonne tous ceux qui ont la chance de les rencontrer sur leurs territoires, ce qui n'est pas facile.

Hommes et femmes, ils sont particulièrement bien intégrés dans leur environnement.

Très probablement, ils ont inventé la raquette, la traîne, le canot et le *wigwam*. Cette tente pointue si particulière à l'Amérique du Nord est en cuir ou bien en écorce de bouleau, une matière première continuellement renouvelable qui est la base de toute leur industrie.

Ils ont beaucoup de points communs avec les Iroquois. Comme eux, ils ont horreur de la barbe et de la moustache qu'ils épilent avec de la cendre de coquillage mêlée à de la graisse dans de l'eau très chaude. Ils soignent beaucoup leurs peintures de visage et s'enduisent le corps de graisse d'ours, d'anguille, additionnée de décoctions de racines. Elles leur donnent la peau bronzée et les protègent contre les attaques des féroces maringouins, ces moustiques qui forment de vrais nuages durant la belle saison.

Du mariage à la mort

Comme les Iroquois, ils se marient par consentement successif des parents et puis des fiancés (jamais moins de trois nuits à l'essai).

Ils ont le même culte des morts et leurs cérémonies sont identiques. Les morts du clan sont placés dans des cercueils d'écorce, sur de grands tréteaux portés par des perches d'au moins trois ou quatre mètres de haut. Les armes du défunt sont déposées avec de la nourriture dans le cercueil qui restera là une dizaine d'années. Enfin, un jour, en grande pompe, on vient le chercher pour l'ouvrir; on nettoie les os très soigneusement au son de chants mortuaires, puis on les ensevelit ensemble, chacun à l'intérieur d'un sac de castor dans une fosse tapissée elle aussi de fourrure. La fosse, une fois comblée, est recouverte d'un petit toit, construit — est-il besoin de le préciser ? — en écorce de bouleau.

C'est là un culte d'errance. Il est facile de s'imaginer qu'en général les vieux colosses et leurs compagnes « tiennent » durant l'été. C'est l'hiver que frappe la mort quand, sous la neige, la terre est trop dure pour y creuser une fosse. Alors les enfants ont inventé cette attente en haut des tréteaux pour tenir les morts à l'abri des carnassiers pendant l'été, lorsque la disparition de la neige « élève » les corps au-dessus du sol. L'hiver, ils ne risquent rien, car leur chair a la consistance de la pierre.

Attendre dix ans avant de descendre les morts de leur perchoir représente le temps moyen pour être sûr de repasser dans les mêmes lieux au cours de l'interminable pérégrination. Le cimetière indien est aussi sacré que secret au sein de la forêt.

Le fait que les Iroquois aient le même culte indique

clairement qu'ils ont aussi longtemps pratiqué l'errance avant de découvrir l'agriculture, sans doute venue du Sud, et le sédentarisme relatif.

De la chasse à la guerre

Les Algonkins ne dévorent pas systématiquement leurs prisonniers, mais ils sont rancuniers et ne savent pas pardonner facilement une injure. Ils subissent la torture avec semble-t-il moins de flegme que leurs ennemis qui les traitent volontiers de femmes, tandis qu'eux les appellent « Vraies Vipères ». Leurs costumes sont souvent plus richement brodés de coquillages et de dents de fauve que ceux des autres peuples.

Ils aiment les couleurs vives, se déplacent sans cesse, rutilants comme des coqs-faisans, et, comme eux, se confondent pourtant parfaitement avec la nature. Ils demeurent invisibles tant qu'ils le veulent.

Leur résistance physique dépasse de loin les facultés des hommes les mieux entraînés. Une semaine durant, ils peuvent parcourir 50 km par jour sans rien manger. Un grand animal tué et dévoré sur place les remet en forme pour une nouvelle randonnée.

Les Algonkins qui errent autour de Sault-Sainte-Marie — une région plus grande que la Suisse — et forment les nations des Baouichti-gouins, des Paouittigons, etc., seront appelés « sauteux », tant leur agilité étonnera les coureurs des bois, pourtant orfèvres en la matière[1].

Grands chasseurs, ils le sont plus que n'importe

---

1. On dit aussi que c'est parce qu'ils habitent à proximité des « sault », mais comme pour les franchir, il faut une considérable agilité...

qui. Tout en marchant, ils savent, sans bouger la tête, au moindre déplacement inhabituel d'une feuille sur le sol, au froissement imperceptible d'une mousse, déceler le passage d'un animal qu'ils identifient aussitôt. Un art qu'ils pratiquent « sans en avoir l'air », arborant même une attitude désabusée qui ne les empêche pas de guetter l'admiration sur le visage de l'étranger. A leur façon, ils sont aussi vantards, vaniteux même, que leurs ennemis iroquois.

Ils disent que la neige est le livre des sots, car il est vraiment trop facile d'y relever les traces du gibier.

Moins ardents que les Iroquois au maniement du *tomahawk*, leur flèche ne pardonne pas et leurs embuscades sont souvent meurtrières. A la guerre, ils connaissent souvent des déboires. Certains d'être dans leur bon droit, certains que le Grand Manitou est de leur côté, ils négligent par exemple de poster des sentinelles, un oubli dont on s'en doute les Iroquois savent profiter.

A la longue, cependant, les Iroquois perdent toujours malgré leur férocité et leur discipline, car l'Algonkin s'écarte, s'enfonce dans la forêt, égare son ennemi et, d'embuscades en embuscades, finit par triompher.

Un grand amour for ever

Lorsqu'une fille est amoureuse, elle déclare sa passion d'une façon très particulière. Elle suit silencieusement le jeune chasseur de ses rêves qui part en campagne, s'arrange pour lui porter son maigre bagage, ses armes, s'assoit près de son feu, le regarde manger. Si le garçon manifeste un certain intérêt pour elle, il lui donne un peu de nourriture. La nuit venue, ils dorment sous la même couverture. Elle demeure sa femme jusqu'au retour au camp. Là, le jeune homme se déclare en lui fermant ou en lui ouvrant la porte du *wigwam* familial.

Il arrive aux filles de s'empoisonner par dépit amoureux, car l'idée de fonder une famille, de vivre un grand amour, est infiniment plus développée chez elles que chez les Iroquoises. C'est surtout dans les cités guerrières qu'un suicide arrive parfois chez les hommes, à la suite' d'une défaite sportive ou militaire, surtout si l'on est chef. Pour ce faire, ils mâchent des racines de ciguë ou de citronnier sauvage.

Les Algonkins sont encore plus portés que les autres Amérindiens sur les conversations et les précautions à prendre avec l'esprit des objets et des animaux. Par exemple, il faut se garder de parler cuisine devant un filet de pêche, car une fois dans l'eau, il raconterait aux poissons le sort qui leur est réservé et ceux-ci s'enfuiraient.

Bien que vivant plus étroitement en famille, ils adoptent très volontiers les étrangers et cela gratuitement, pour l'honneur ou le plaisir de compter un individu valeureux dans le clan; adoption qui n'implique nullement l'obligation d'un réajustement démographique.

... Et des plats cuisinés

En dehors du nomadisme chez les uns, du sens de la guerre chez les autres, la vraie différence entre Algonkins et Iroquois se trouve dans la cuisine.

Les Algonkins aiment manger et, dans la mesure

de leurs moyens, ils entendent que ce soit bon. Pour cela, les cuisinières utilisent des plantes aromatiques, des baies, des fruits en quantité. Elles savent parfaitement réaliser un rôti à point, faire cuire un morceau choisi à l'étouffée. Elles savent récolter le riz sauvage et en constituer un vrai légume pour accompagner une nourriture qui, malgré sa rusticité, peut prétendre à la distinction de plat cuisiné.

LES BÉOTHUKS : LA MALÉDICTION

On ne peut achever ce survol des nations indiennes avant le contact avec les Européens sans parler d'une poignée de pauvres diables — ils sont environ 500 : les Béothuks de Terre-Neuve. Ils parlent une langue aux origines inconnues, ont la peau rougeâtre (ils sont les seuls) et sont aussi primitifs que voleurs : c'est du moins ce que diront d'eux les morutiers de tous les pays qui les tiendront pour « moins que bestes ». Avant d'être victimes des marins-découvreurs, ils sont périodiquement massacrés par les Mics-Macs.

Leur vie connue n'est qu'un lamentable calvaire. Le dernier Béothuk s'éteindra, anesthésié de désespoir, en 1829.

Les Amérindiens nagent comme des loutres. Ce ne sera pas un mince sujet de surprise pour les Européens qui, pendant encore des siècles, ignoreront pratiquement les joies de la natation.

4/ *Champlain, le premier Canadien*

Il est temps de retourner à la cour de France où, malgré les atrocités des guerres de Religion, il se trouve toujours quelqu'un pour songer à la Nouvelle-France. C'est là une maladie qui affecte peu ou prou tous nos rois depuis Louis XII.

On ne sait pas assez que dix de nos souverains ont été directement concernés par ce problème : Louis XII, François Ier, Henri II, François II, Charles IX qui s'entretint longuement à Rouen avec des « Indiens », Henri III, Henri IV, Louis XIII, Louis XIV, Louis XV. On peut même ajouter que Louis XVI songea sérieusement à une reconquête du Canada en aidant les nouveaux Américains.

DES MARCHANDS QUI ÉCHOUENT TOUS LES ANS

François II avait confirmé certains privilèges aux marchands rouennais concernant la pêche et surtout le trafic des fourrures qui commence à s'organiser.

Sous Charles IX, un protestant, Ribaud, commandité par l'amiral de Coligny, veut fonder une Nouvelle-France protestante en Floride. De 1562 à 1565, il fait essaimer 600 personnes sur plus de 400 km d'une côte excessivement découpée. Il baptise les fleuves et les baies qu'il prend pour des embouchures de noms français. Du nord au sud, nous trouvons ainsi sur ses cartes : la Chenonceaux, la Livourne, le Port-Royal, la Rivière-Grande, la Belle-à-Voir, la Gironde, la Garonne, la Charente, la Loire, la Somme, la Seine, etc.

Les colons n'ont guère le temps de réussir leur installation. Très au fait des atrocités qui se perpétuent en Nouvelle-Espagne, les indigènes les reçoivent mal.

Puis l'Espagnol Menendez débarque à son tour avec une flotte chargée de colons et de soldats. Son but : la destruction des Français, sous couvert de l'orthodoxie religieuse.

C'est un génocide, à l'exception d'une vingtaine de malheureux qui se sont promptement décidés pour le catholicisme.

Protestants et catholiques français crient vengeance. Charles IX, qui ne songe pas encore à la Saint-Barthélemy, laisse un catholique de trente-sept ans, Dominique de Gourgue, appliquer la loi du talion. Ce Gascon débarque en Floride en 1568, à la tête de 180 hommes. Il s'abouche avec les indigènes, ravage tout, brûle le reste et pend tous les colons espagnols, sauf cinq « pour s'en aller conter l'affaire aux aultres ».

Durant cet heureux temps, on continue d'aller à Terre-Neuve pour la morue et pour la fourrure que l'on troque avec des Indiens de rencontre.

En 1577, Henri III commissionne un marquis breton, La Roche de Coëtarmoal, qui est également normand puisque vicomte de Saint-Lô et Carentan, pour aller aux Terres-Neuves. La prise d'un de ses vaisseaux par les Anglais termine promptement l'affaire. La Roche est fait prisonnier.

Vers 1585, Jacques Noël, neveu de Jacques Cartier, et son associé Étienne Chaton de La Jannaye, remontent le Saint-Laurent jusqu'au-delà de Québec. A leur retour, ils demandent le monopole du trafic des fourrures pour tout le Canada et pays adjacents, c'est-à-dire toute l'Amérique du Nord. Ils l'obtiennent en 1588.

Hurlements des bourgeois malouins qui, se référant « aux bons soings par eux donnés aux affaires, projets et voyaiges du sieur Cartier »(!), entendent en garder les profits qu'ils en ont tirés, à savoir une confortable tradition de traite à la petite semaine au bénéfice d'environ mille pour cent l'an. Ils accusent de surcroît Jacques Noël et La Jannaye d'imposture.

A la cour, on fait la sourde oreille, car Noël et son associé se sont engagés à trouver la route de la Chine. Alors, les bourgeois malouins, qui, sur le chapitre de la mauvaise foi valent bien les jurats bordelais, intentent froidement un procès à la mémoire de Jacques Cartier qui, affirment-ils, n'a jamais découvert le Canada et qui, de plus, n'a jamais payé les dettes qu'il a contractées envers eux, honnêtes bourgeois soussignants.

Ces affirmations devraient faire sourire, car il s'agit de dettes fantômes que l'on s'est bien gardé de rappeler du vivant de Cartier. Pourtant, les états de Bretagne donnent raison aux plaignants en 1588. L'affaire devenant sérieuse, Henri III, qui tient à la paix dans son royaume, confirme.

En 1598, le bon roi Henri est sur le trône. Le marquis de La Roche, libéré des geôles anglaises, revient à la charge. Il obtient le privilège de constituer une colonie de l'autre côté de l'Océan. Il choisit l'île de Sable, à 120 km au large du cap Breton, et y installe 250 colons (dont 50 femmes) recrutés dans les prisons. Ceux-ci doivent fournir des peaux et de l'huile de phoque contre des vivres. En 1603, le navire ravitailleur ne retrouvera que 11 colons. Les autres sont morts ou ont fui sur le continent.

Avec la signature de l'édit de Nantes en 1598, les protestants sont de nouveau admis à la création de la Nouvelle-France qui, pour le moment, n'existe pas plus que la Nouvelle-Angleterre. Auparavant, le marquis de La Roche est obligé de partager son monopole avec un Dieppois protestant : Pierre Chauvin de Tonnetuit.

En 1600, celui-ci tente d'organiser à Tadoussac, sur les rives du Saint-Laurent, la traite sur une grande échelle. Il fait construire une maison de 7,50 m sur 5,50 m, haute de 2,40 m, puis, ayant embarqué les fourrures, il laisse 16 hommes sur place avec quelques vivres pour l'hiver. C'est dire que, sans les rares Indiens de passage qui recueillent les survivants, il ne serait rien resté de l'établissement.

Sans désespérer pour autant, Pierre Chauvin essaie de relancer son idée en s'alliant à des marchands. Ces derniers voient d'un très mauvais œil toute installation permanente qui risque d'engager des frais : ne serait-il pas dommage d'écorner si peu que ce soit d'aussi formidables bénéfices ? Pierre Chauvin meurt en 1603, complètement écœuré.

LES FRANÇAIS, INVITÉS PRIVILÉGIÉS

Un très haut personnage, Du Gua des Monts, gouverneur de Pons en Saintonge, était du voyage de 1600 à Tadoussac. Trois ans plus tard, en 1603, il monte une société de traite et d'exploration, avec le seigneur de Pont-Gravé et un jeune cartographe, Samuel Champlain, autre Saintongeais. Le commandeur Aymar de Chastes couvre l'opération de sa haute autorité. Pont-Gravé s'embarque. Champlain est à son bord, ainsi que deux indigènes venus en France dix-huit mois auparavant sur un morutier.

Le 26 mai, Pont-Gravé arrive à Tadoussac en pleine « tabagie », autrement dit un grand festin. Plus de 300 Indiens participent à la fête. Les deux voyageurs, sans doute des Montagnais, racontent avec force détails leur heureux voyage. Le chef, Anabijou, se déclare enchanté de leur récit et décide que « l'on remettra ça demain ».

Le matin suivant, ce sont plus de 1000 Indiens qui se pressent. Etchemins, Montagnais, Algonkins[1]. Les Algonkins font danser leurs filles nues, au grand ébahissement des Français. Suivent des concours de course à pied, de saut, de natation. On remet triomphalement des présents aux vainqueurs. Etchemins et Montagnais offrent le repas. Une fête inouïe commence. Jusqu'au 18 juin, traite et fêtes vont alterner dans une joie gaillarde qui semble demander une santé de fer aux participants. Champlain note tout, goûte à tout et se prend, encore inconsciemment, d'un amour immense pour ce pays et les gens qui y habitent.

---

1. Les Iroquois ont disparu.

Le grand chef algonkin Tessouat paraît apprécier autant que le Montagnais Anabijou la venue des Français, qu'il invite solennellement à habiter sur ses terres. Anabijou fait chorus. Ce moment est très important. De tous les Européens venus dans le Nouveau Monde, les Français seront les seuls à y avoir été conviés. Les autres, particulièrement les Anglais et les Hollandais, devront acheter leurs premières terres et les Indiens prétendront toujours avoir été volés.

Le 18 juin, Du Pont-Gravé remonte le fleuve. Il va jusqu'à l'emplacement de Hochelaga qui ne paraît plus exister, puis redescend le 15 juillet à Gaspé pour se ravitailler en poisson. Le 19, il est de nouveau à Tadoussac pour une formidable « tabagie » donnée à l'occasion d'une victoire obtenue sur les Iroquois. Cette fois, ce sont les filles montagnaises qui dansent nues et simulent dans l'eau un combat à coups de pagaie. On le devine, Pont-Gravé, Champlain et les mariniers sont captivés par le spectacle, d'autant que les « prisonnières » sont livrées en grande pompe aux invités.

Les Français repartent pour leur pays en compagnie d'un fils de chef, de quatre autres « sauvaiges » qui veulent faire partie du voyage et d'une Iroquoise capturée que les Montagnais désiraient manger.

En 1605, Pont-Gravé, Biencourt de Poutricourt et Champlain ont de nouveau traversé l'Océan. A présent, ils tentent de prendre pied en Acadie. On compte 12 morts après le premier hivernage et 7 au second. L'humeur générale est sombre. Champlain fonde l'ordre du Bon-Temps dont les « dignitaires » sont chargés de redresser le moral des colons.

Durant ce temps, les continuels complots des marchands malouins, encouragés par les intrigues des chapeliers de Paris et même du ministre Sully, obligent le roi à annuler en 1607 les privilèges dont jouissait la société de Du Gua des Monts.

Les « restes de la colonie », c'est-à-dire le matériel récupéré, les gens encore sous contrat, etc., serviront à Champlain pour sa première installation à Québec. Dans ce nouveau projet aussitôt élaboré par Du Gua des Monts, Pont-Gravé doit s'occuper de la traite, et Champlain assurer l'hivernage ainsi que l'exploration.

IL ÉTAIT UN PETIT CARTOGRAPHE

Depuis son tout début, l'histoire de la Nouvelle-France ressemble à une mayonnaise qui ne veut pas prendre.

Tous les ingrédients sont pourtant réunis : argent, moyens matériels, courage, abnégation, intelligence, science, foi ! A chaque revers, on change de lieu, parfois d'hommes, rien n'y fait. L'échec paraît attaché à toutes ces entreprises.

Champlain est le premier catalyseur, le seul.

Samuel Champlain est de famille protestante. Son prénom biblique et sa naissance à Brouage, ville essentiellement huguenote, ne font aucun doute à ce sujet. Il est né entre 1567 et 1570, on ne sait pas au juste, car un incendie a détruit toutes les archives de la ville antérieures à 1690.

Comme beaucoup de protestants nés de cette époque qui veulent faire carrière, il revient très vite au catholicisme à sa majorité.

Que connaît-on de lui ? Son contrat de mariage, établi en 1610, nous apprend qu'il est le fils de feu

Antoine Champlain, capitaine de la marine, et de Marguerite Le Roy. C'est tout. Rien que ce qu'il écrit lui-même, mais il n'y a pas de raison de mettre sa parole en doute.

Revenons donc à ses Mémoires où il est heureusement un peu plus prolixe. Il a fait la guerre avec Henri IV et certainement avec brio puisqu'il touche une assez belle pension. Il a navigué aux Indes occidentales, parle espagnol et un peu d'anglais. Il est un des meilleurs cartographes de son temps. Dessinateur remarquable, son trait vaut une photographie. Il a l'esprit d'observation poussé à un haut degré, une santé de fer et, le moins que l'on puisse dire de lui, c'est qu'il est un joyeux luron.

Il n'est pas noble, et le « de » Champlain dont il signera ses écrits à la fin de sa vie paraît être une manie de l'époque chez les bourgeois arrivés. Il est pourtant cité comme « écuyer » dans plusieurs actes officiels. Ce titre réservé à la noblesse est sans doute attaché à un anoblissement tardif, rendu nécessaire par la nature des hautes fonctions qu'il remplira dans la colonie.

On ne possède pas son portrait, mais on pense qu'il était plutôt petit, vif et vigoureux, avec un regard impérieux et une voix chaude qui forçait l'attention.

Avec Champlain, tout devient possible, brusquement. Sans raison particulière, car, si c'est un homme de valeur, il n'est pas unique ni même le meilleur parmi tous ceux qui tentent d'embrasser le Nouveau Monde.

Les Indiens furent les premiers à le comprendre. Après le voyage de 1603, Pont-Gravé et Du Gua des

Monts ont su remarquer sans jalousie l'énorme ascendant de ce petit observateur cartographe sur la foule tonitruante des indigènes. Ils sauront s'en souvenir...

LA GRANDE CABANE

Le 3 juin 1608, le lieutenant de Pont-Gravé (c'est son premier titre officiel) arrive à Tadoussac où il n'était pas revenu depuis cinq ans. Affairés à la pêche, les indigènes sont peu nombreux. Champlain laisse son navire à l'ancre et remonte en barque jusqu'à la pointe de Québec qu'il avait remarquée lors de son premier voyage. Aussitôt, il met ses hommes à l'ouvrage. Il s'occupe personnellement de jardinage et tente l'acclimatation des légumes européens. En quelques semaines, « l'abitation » s'élève. Il s'agit de trois corps de logis d'une surface totale d'un peu plus de 100 m^2, d'un magasin de vivres, entourés d'un fossé de 15 pieds (de large ou de profondeur, on ne sait pas) et d'une forte palissade en pieux épointés. Tout cela a fière allure, et les Indiens font de plus en plus souvent le détour en canoë pour admirer la « grande cabane des Français ». Parmi les compagnons bâtisseurs, on compte le serrurier Duval qui a déjà fait deux hivernages en Acadie.

Ce Duval a, lui semble-t-il, une idée de génie : « A présent que l'"abitation" est construite, si on tuait Champlain pour la vendre aux Basques ou aux Espagnols ? » Ils ont en effet des espions partout et voient l'installation des Français d'un mauvais œil. L'aspect politique n'a aucun sens pour Duval qui ne voit que le moyen de faire rapidement fortune. Il a trois complices.

Bientôt l'un d'entre eux, pris de remords, révèle le complot en échange de son pardon.

Champlain fait arrêter les coupables. Après un jugement public, Duval est pendu sur-le-champ. Les autres sont expédiés en France « pour qu'il leur soit faict plus ample justice ». La tête du serrurier est exposée sur une pique au plus haut du fort, ce qui impressionne favorablement les Indiens, très probablement au courant de la machination.

Le premier hivernage est rude. Seize morts sur 25 « colons ». Le délateur de Duval meurt dans les premiers. Plus personne ne connaît la tisane d'anedda. Les Indiens aussi sont victimes du « mal de terre ». Enfin, au printemps 1609, Pont-Gravé arrive avec du ravitaillement et des renforts.

Le 28 juin, Champlain inaugure ses voyages d'exploration. Il commence par la rivière des « Irocois » (le Richelieu). Après les rapides de Chambly, il ne garde que deux hommes, renvoie les autres au travail à l'« l'abitation » et s'embarque avec des Algonkins, des Montagnais et un fort parti de Hurons. Au total : plus de 200 hommes.

Le voyage dure un mois, au cours duquel Champlain confesse en avoir plus appris que dans tout le reste de sa vie. Il se familiarise très aisément avec le langage algonkin, apprend à marcher avec des mo- avec les indigènes. Ce qui sera là sa grande spécialité. avec les indigènes. Ce qui sert là sa grande spécialité.

LE PREMIER COUP DE MOUSQUET

Le 29 juillet, les Iroquois se manifestent. On tente vainement de discuter grâce à des interprètes hurons. Le 30, c'est l'affrontement. Sans doute deux fois plus nombreux que les Français, les Iroquois groupés attaquent. Ce n'est pas au maréchal des logis Champlain, compagnon de guerre d'Henri IV, qu'ils vont en remontrer. Le Français se dissimule derrière un rang d'Algonkins. A son commandement, ils s'écartent et Champlain tire un coup d'arquebuse « chargée à quatre balles ». Deux chefs iroquois sont tués raides, un troisième blessé. A ce coup de feu, répond celui d'un compagnon qui, dissimulé dans un boqueteau, à gauche, tire lui aussi à la chevrotine : un mort, deux ou trois blessés. C'est la panique. Les alliés se ruent. Le massacre suit.

Champlain a rempli sa part du pacte d'assistance signé cinq ans plus tôt avec les Algonkins de Tadoussac. Pour l'honorer, ses alliés lui offrent les plus belles armes de prise et la tête d'un chef ennemi[1].

Champlain décide de rentrer. Comment pourrait-il se douter que, dans six semaines, l'Anglais Henry Hudson viendra, pratiquement au même endroit, assurer l'installation des Hollandais ? Le 18 octobre 1609, il est à Paris pour faire son rapport au roi et à Du Gua des Monts. Il apporte beaucoup de récits et de présents, dont les armes d'honneur. Quant à la tête de l'Iroquois, il l'a laissée au Canada.

Le 28 avril 1610, il est de retour à Québec, après avoir mis vingt jours pour faire le voyage de Hon-

---

1. Un prisonnier est mis à la torture. Révolté, Champlain obtient de pouvoir l'achever tout de suite d'une balle dans la tête.

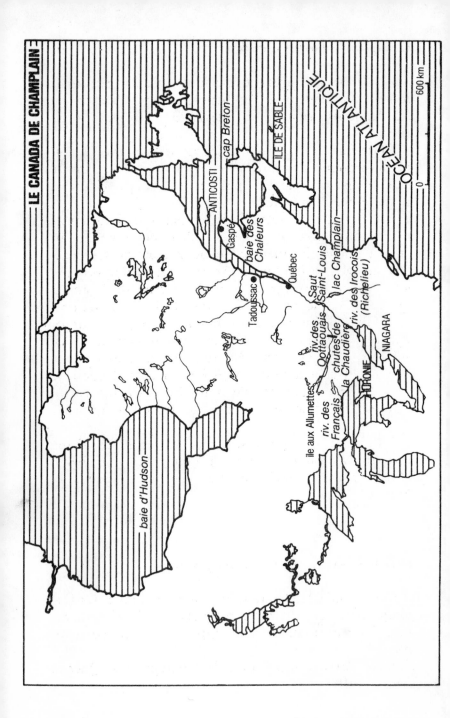

LE CANADA DE CHAMPLAIN

baie d'Hudson

ANTICOSTI

cap Breton

ÎLE DE SABLE

OCÉAN ATLANTIQUE

0   600 km

Gaspé

baie des Chaleurs

Québec

Tadoussac

Saut Saint-Louis

lac Champlain

riv. des Iroquois (Richelieu)

riv. des Ottaouais

chutes de la Chaudière

île aux Allumettes

riv. des Français

HURONIE

NIAGARA

fleur. Il est accompagné par des artisans. Ses alliés indiens l'attendent à l'embouchure du Richelieu où les Iroquois, solidement barricadés, ferment la rivière.

Cette fois, il y a une dizaine de mousquets. Champlain ordonne l'assaut. Il reçoit une flèche dans le cou, mais ne s'arrête pas pour autant. Nouvelle déroute chez l'ennemi...

Les fêtes de la victoire valent, paraît-il, le déplacement. Au cours de celles-ci, Champlain confie au chef algonkin Iroquet un jeune garçon de Champigny-sur-Marne qui ne désire rien tant qu'apprendre « la langue sauvaige et a désia yverné deux ans à Québec ». Il se nomme Étienne Brulé. Il a dix-huit ans. On imagine la stature morale et physique de ce « jeune garçon » qui, durant vingt-deux ans, va sillonner le continent en tous sens, parler deux langues et sept dialectes indigènes à la perfection. Il sera le père spirituel de tous les « truchements » (interprètes) comme des innombrables coureurs des bois.

En otage de courtoisie, car la confiance règne totalement, Iroquet remet à Champlain un jeune Huron nommé Savignon qui veut aller visiter la France.

PREMIERS SAUVAGES POUR LES JÉSUITES

Cette année-là, la traite est catastrophique. Champlain laisse seize hommes à Québec et, le 27 septembre, il est à Honfleur pour apprendre l'assassinat du roi.

Pour Paris, l'installation de Champlain à Québec

n'a pas plus d'importance immédiate que celle du
vieux Villegaignon au Brésil, de Ribaud en Floride
ou La Roche à l'île de Sable. On peut même dire
que la cour est d'emblée contre tout projet, excepté
celui qui la fait vibrer d'une sainte fièvre : celle
d'Acadie. Elle caresse ou poursuit ce rêve depuis
longtemps. Tout le monde s'en mêle et les jésuites
surtout.

Songez que l'on y a baptisé vingt et un sauvages
d'un coup ! Alors, foin du reste, honte à ceux qui
veulent détourner à leur profit les efforts en faveur
des tenants de la Vraie Foi.

La Nouvelle-France, ce sera l'Acadie ou rien.

Lorsqu'elle ne fait pas de magie avec la femme de
Concini, Marie de Médicis, régente du royaume,
organise à ce sujet quelques soirées intéressantes où
les princesses font la quête avec la gravité frémis-
sante de dames patronnesses dans leur ouvroir. Le
maréchal d'Ancre (toujours Concini) obtient un
franc succès en déposant un soir sa plus belle bague
du moment dans l'aumônière d'une sotte à la mode,
très amie de la reine, la marquise de Guercheville.

Cette dame devient une sorte de vice-reine d'Acadie, un peu comme certaines dames de la société
moderne deviennent « marraines » de navires. Il va
sans dire que Mme de Guercheville n'ira jamais en
Acadie et ne cassera de bouteille sur aucune étrave.
Elle donne seulement un peu d'argent dont elle
demandera âprement la justification jusqu'au dernier sol. En outre, elle impose les jésuites au malheureux Biencourt de Poutricourt qui se bat en
Acadie avec ses compagnons, contre l'hiver, la maladie, l'isolement et les distances.

Pour sa part, Champlain est très bien reçu par Du
Gua des Monts dont l'amitié et la fidélité lui demeu-

reront constantes. Il s'installe à Paris et est invité un peu partout pour « montrer » son Huron.

Le 27 décembre, il signe un contrat de mariage avec Hélène Boullé.

Il a quarante ans, elle en a douze.

A une époque où pourtant on ne s'embarrasse guère de finesses à ce propos, il est spécifié qu'étant donné l'âge de la mariée, son époux devra patienter deux ans avant de consommer le mariage. La bénédiction nuptiale est donnée le 30 décembre à Saint-Germain-l'Auxerrois. Savignon le Huron est de la fête. Plus tard, il ne manquera pas de mauvaises langues pour prétendre que le sieur Champlain est « de bien trop vive humeur » pour avoir attendu son dû si longtemps.

En fait, au tout début de son mariage, les choses paraissent aller assez mal avec sa femme et ses beaux-parents. Mais Champlain touche 4 500 livres sur la dot promise de 6 000, ce qui arrange bien ses affaires, car, honnête homme s'il en fut, il puise systématiquement dans sa bourse pour régler les dettes afférentes à l'édification de la colonie.

En compagnie de Du Gua des Monts et de Savignon, bien entendu, il rencontre vainement la marquise de Guercheville.

UN DIPLOMATE SPORTIF

Après une traversée qui a été pénible et dangereuse, Champlain arrive à Québec le 29 mai 1611. Tout est en ordre. Les seize hommes qu'il a laissés sont en vie et en bien meilleure santé que les années précédentes. Il débarque, Savignon sur les talons, en compagnie de quelques artisans et de jeunes gens épris d'aventure : Nicolas Vignau, un certain Louis qui « appartient » au sieur Des Monts, et d'autres dont on ignore le nom.

La traite est déplorable. A Tadoussac, il n'y avait personne. A Québec, les Indiens, lassés par la malhonnêteté des trafiquants, attendent qu'il y ait toujours plusieurs bateaux en rade pour bénéficier de la concurrence. Les peaux sont rares. Champlain, qui sait à quoi s'en tenir, remonte le fleuve jusqu'au sault Saint-Louis où il a rendez-vous avec les Indiens « d'en haut ». Une foule de trafiquants qui veulent profiter de ses bonnes relations avec les indigènes le suivent. Mais, au sault Saint-Louis, les Indiens sont absents. Il va les attendre trois semaines.

Champlain en profite pour chercher un emplacement « où bastir une bonne et forte ville ». Il fait déblayer un terrain qu'il nomme place Royale et édifier un mur de terre d'une vingtaine de mètres de long pour juger plus tard de la façon dont il aura supporté l'hiver. Nous sommes à une lieue à peine du Mont-Royal. A cet endroit même, dans trente ans, sera bâti le fort Ville-Marie. Sur sa carte, Champlain nomme le lieu « Montréal ». Le génie ne s'invente pas.

Durant cette longue attente, le jeune Louis, Savignon et un chef montagnais, Outecoutos, partis à la chasse, se font prendre dans le rapide du sault Saint-Louis. Louis et Outecoutos se noient, Savignon n'a pas une égratignure.

Enfin, le 13 juin, cent canots hurons et algonkins arrivent au rendez-vous. Étienne Brulé, habillé et coiffé à la sauvage, parlant fort bien leur langue, les accompagne. Il s'enferme un long moment avec Champlain.

Avant de commencer la traite, il faut que Savignon raconte son odyssée. Comme ce genre de récit est toujours très long, on en profite pour organiser une petite tabagie. Les trafiquants étouffent de rage, certains allant jusqu'à frapper les Indiens. Champlain, très ennuyé, temporise. On renouvelle les engagements pris. La traite dure jusqu'au 17 juin, date qui voit le départ de tous les Indiens. En réalité, ils attendent Champlain au-delà des saults pour une conférence secrète, et acceptent tous les accords à condition que les trafiquants soient sous son commandement effectif, afin de ne plus avoir « deux parolles ». Champlain ne sait plus à quel saint se vouer...

Pour parer au plus pressé, il décide « d'épater » ses interlocuteurs en passant en canot le sault Saint-Louis. Ce n'est pas un mince exploit. Seul Étienne Brulé, qui a dix-neuf ans, l'a réalisé avant lui. Champlain, lui, en a quarante et un. Il réussit. C'est un triomphe. Les Indiens sont enthousiasmés. Les trafiquants, qui de loin assistent à cette prouesse, n'en reviennent pas non plus.

Cette fois, Algonkins et Hurons repartent pour de bon chez eux. Savignon et Brulé prennent le chemin de la Huronie. Le jeune Indien pleure à chaudes larmes, à l'idée de quitter son mentor. Champlain semble moins ému, car il paraît bien que maître Savignon n'a pas toujours été un compagnon de tout repos durant son séjour à Paris.

De retour à Québec, Champlain fait exécuter les modifications et réparations nécessaires à la bonne conservation de « l'abitation ». Il plante des rosiers et surveille de près la constitution des réserves. Surtout, il fait embarquer sur son navire un important chargement de poutres de chêne, assurant ainsi la première exportation industrielle vers le Vieux Continent.

PAR DÉCISION ROYALE : ENFIN PATRON

Le 10 septembre, Champlain est à La Rochelle. Il va passer presque deux ans à déjouer les complots et se justifier à tout propos, afin d'asseoir la survie de sa colonie.

Il rédige ses Mémoires, publie une carte qui est la première a être conservée. Il s'agite tant que, le 8 octobre 1612, Louis XIII désigne Charles de Bourbon comme lieutenant général de la Nouvelle-France. Dès le 15, ce grand seigneur désigne Champlain pour le représenter. A cette époque, c'était le moyen de donner le pouvoir à un roturier.

Vignau, le jeune interprète, revient en France. Devant deux notaires, il déclare avoir trouvé la mer « Salée » (la baie d'Hudson) au nord de la rivière des Outaouais. Il y a même vu un navire anglais naufragé. Grosse émotion dans les milieux passionnés par la Nouvelle-France, car il semble bien que l'on ait trouvé cette fois le passage vers la Chine.

Charles de Bourbon meurt, et le jeune roi, le 22 novembre, désigne Henri de Bourbon, plus connu sous le nom de prince de Condé, pour lui succéder. Le nouveau lieutenant royal s'empresse de confirmer Champlain dans ses fonctions.

Les commerçants de Rouen et de Saint-Malo font tout leur possible pour empêcher Champlain de publier sa commission officielle. On sait qu'en ce temps-là aucune décision, fût-elle royale, ne pouvait devenir effective sans présentation publique.

Champlain fait paraître ses *Voyages*, avec le privilège du roi, le 9 janvier 1613. Il a encore de sévères démêlés avec les syndics des marchands. Malgré eux, il embarque pour son cher Canada.

Et le voici, le 29 mars, à Tadoussac, malgré les glaces flottantes et un temps épouvantable. Il y affiche sa commission royale. Cette fois, nul doute : il est le chef suprême.

Il passe l'installation de Québec en revue, commande plusieurs agrandissements et, le 21 avril, il est au sault Saint-Louis, accueilli avec joie par les indigènes qui ont appris sa nomination.

La traite n'est pas très importante. Les Rochelais, tenus à l'écart des entreprises commerciales des Rouennais et des Malouins, font très clairement de la contrebande. Contrairement à leurs collègues qui s'en tiennent aux haches, couteaux et marmites, ils fournissent des armes à feu aux Indiens. Sur le cours de l'Hudson, les Hollandais font la même chose. Ni les uns, ni les autres n'ayant véritablement l'intention de s'installer, ils se moquent absolument de savoir l'usage qu'en feront les indigènes. Conséquence de ce troc pour les colons : ils devront assurer encore plus fermement leurs alliances politiques avec certaines tribus contre d'autres pour garantir leur sécurité.

... ET TOUJOURS EXPLORATEUR

Champlain repart en exploration le 27 mai. Il remonte la rivière des Outaouais en compagnie d'un guide indien et de quatre Français, soit trois canots. Il fait le long portage aux chutes de la Chaudière et rejoint enfin la rivière à l'île aux Allumettes. Le 15 juin, il arrive chez son vieil ami Tessouat, le chef algonkin. Il l'invite à s'installer au sault Saint-Louis, dans le but de renforcer le nombre des alliés à proximité de la colonie. Tessouat accepte, à condition que l'on bâtisse un fort à Montréal. Ensuite, l'Algonkin malin fait tout son possible pour dissuader Champlain d'aller jusque chez les Nipissingues, ses « ennemis ». En réalité, il veut seulement interdire aux Français le passage vers des fournisseurs de fourrure qui lui procurent un confortable bénéfice en lui payant un droit de passage sur ses terres.

Vignau, qui est du voyage, intervient. Il est allé chez les Nipissingues, ce ne sont pas des ennemis, il veut emmener son maître Champlain sur les bords de la mer Salée.

Cette fois, c'est la grosse colère, l'indignation extrême chez Tessouat et ses vieux *sachems*. Le peuple entier gronde contre l'affreux menteur. La mer Salée ? Personne ne la connaît, s'il l'a vue, c'est en rêve. D'ailleurs, où sont ses guides ?

Vignau tente de se défendre, mais Champlain, impressionné par l'attitude de ses amis indiens, abonde dans leur sens. Éperdu, Vignau se rétracte, car il sent que le poteau de tortures n'est pas loin. Il revient à Québec avec Champlain, couvert de honte. L'histoire démontrera pourtant que le malheureux avait raison. Il a bien vu la baie d'Hudson et le navire naufragé, un des deux que les Anglais en exploration dans ce secteur ont perdu l'année précédente.

Le 26 août, Champlain est de retour à Saint-Malo. A la fin de l'année 1613, il fait paraître la suite de ses *Voyages* et une carte remise à jour avec ses dernières découvertes vers les Outaouais. Il n'y mentionne pas le « songe » de Vignau.

En 1614, le roi l'autorise à fonder une nouvelle compagnie : « Les Marchands de Rouen et de Saint-Malo », et une compagnie de Champlain qui, en échange de l'exclusivité de la traite, soutiendra la colonie durant onze années. Malgré une vigoureuse offensive des Rochelais et des Basques, la traite de l'année 1614 est excellente. Champlain, l'infatigable Champlain, est vraiment devenu le maître du Saint-Laurent.

Une ombre cependant au tableau : en cette même année 1614, la colonie d'Acadie, ravagée par les Anglais, est rapatriée.

LE PREMIER COLON, LA PREMIÈRE CHARRUE

Toujours très inquiet de la cruauté de ses alliés comme de ses ennemis indigènes, Champlain s'embarque en 1615 avec quatre pères récollets pour tenter de les humaniser.

Le 24 avril, il est à Tadoussac. Le voyage est devenu une routine. A Québec, tout va bien, l'hivernage s'est bien passé pour la trentaine d'hommes qui s'y sont réfugiés et les cultures se développent. Le 25 mai, il arrive au sault Saint-Louis où Étienne Brulé l'attend avec un parti de Hurons. Deux autres Français anonymes arrivent avec des « hauts pays ». En leur compagnie, Champlain commence le 9 juillet son grand périple vers l'Iroquoisie qui se terminera après un revers militaire, ou plutôt la « nonconcrétisation » d'une victoire, par un hivernage chez les Hurons.

A son retour au sault Saint-Louis, en 1616, Pont-Gravé manquera défaillir de surprise, car il le croyait mort depuis des mois. A cette occasion, on commencera à mesurer la capacité de duplicité des indigènes qui avaient envoyé plusieurs témoins de la mort de Champlain à Québec.

Hélène, son épouse, vient une seule fois au Canada. Elle ne recommencera plus. Les déplacements continuels de son mari deviennent légendaires. Quand il n'est pas à Honfleur pour disputer des morceaux de son pouvoir ou de SA colonie à la rapacité des marchands, il est à Québec, Tadoussac ou à Trois-Rivières. Il signe des traités avec des chefs indiens, expédie des voyageurs, des interprètes dans toutes les directions.

Louis Hébert, le premier colon, c'est-à-dire celui qui tirera sa subsistance et celle de sa famille du produit de la terre, meurt en 1627. La première charrue arrive la même année. Jusque-là toutes les cultures ont été faites à la houe ou à la bêche. La terre du Canada est enfin ouverte.

DÉJÀ LES ANGLAIS

En 1629, devant la poussée des Anglais Kirke (le père et ses quatre fils), Champlain doit « lâcher » Québec et revenir en Angleterre à bord d'un vaisseau britannique. Les interprètes Brulé, Marsolet et quelques autres semblent bien être passés au service de l'ennemi.

De nombreux jeunes gens, et même ceux récem-

ment arrivés en Nouvelle-France, refusent de s'incliner et gagnent les forêts, en attendant des jours
meilleurs. Ils sont très bien accueillis par les Indiens.
Événement d'une importance extrême : les jeunes
Français sont devenus canadiens, ils sont chez eux
dans le pays laurentien et, par conséquent, ne sauraient chercher abri dans aucune autre patrie.

Leur installation provisoire chez les Indiens est
elle aussi exemplaire. Dans toute l'histoire de l'Amérique, les Français seront toujours les seuls à trouver
refuge en tant que tels, même chez les tribus les plus
xénophobes. Si de rares Européens se targueront
d'une fraternité avec un clan, ce ne sera qu'à titre
individuel.

Lorsque les Kirke s'emparent de Québec, la paix
est déjà signée entre Français et Anglais. Champlain
se lance à corps perdu dans la reconnaissance des
dates. Il lui faudra trois ans pour que les souverains
des deux royaumes tombent enfin d'accord.

LA NOUVELLE-FRANCE : 150 HABITANTS

Il est de retour à Québec le 22 mai 1633. Tout est
en ruine, mais la traite est excellente. Les colons
reviennent, les garçons de la forêt aussi. Dans un
grand enthousiasme, on entreprend la reconstruc-
tion. Le fort est considérablement agrandi. On élève
une chapelle, des maisons. On défriche dix fois plus
de terre que trois années auparavant.

« En l'absence du cardinal de Richelieu », Champlain commande en maître absolu. En 1634, arrivent
les familles du groupement Giffard, que l'on appelle
également « l'immigration percheronne ». Giffard est un

maître chirurgien né en 1587 à Mortagne, au Perche. En 1627, il est venu en « voyage de curiosité » à Québec. Il s'y est bâti une cabane à Beauport pour la pêche et pour la chasse. Ses talents de guérisseur, entendez médecin, ont été fort appréciés par la petite, toute petite population de la Nouvelle-France.

Bien décidé à s'établir dans le pays, il est totalement pillé par les Kirke en 1629, et ne peut revenir qu'en 1634. Accompagné par une dizaine de familles de son pays, il débarque alors à Beauport, au confluent du Saint-Laurent et de la rivière Notre-Dame. Il y fonde une des toutes premières seigneuries canadiennes avec le complet accord des compagnies marchandes, une grande nouveauté qui n'aura guère de suite.

Épuisé par ses combats incessants contre la mesquinerie et la rapacité des marchands, par ses traversées de l'Atlantique rendues nécessaires par la versatilité de la cour, Champlain meurt vainqueur, en 1635, à Québec.

La colonie comporte 150 habitants.

La Nouvelle-Angleterre en a déjà plus de 2000. Désormais, la Nouvelle-France devient vraiment la terre du dépassement.

5/ *La France mal chauffée veut leurs peaux*

LA TRAITE

Pendant toute l'histoire de la Nouvelle-France et de la Nouvelle-Angleterre, la traite sera un mal nécessaire, tout comme l'argent est le nerf de la guerre.

La traite, c'est le troc. Pas de monnaie ni de billets à ordre, rien que des objets de première nécessité, fabriqués au plus juste prix, que l'on échange contre les plus belles et les plus coûteuses fourrures du monde.

Plus le troc est honteux, c'est-à-dire plus l'Indien est volé, plus la traite est satisfaisante et plus l'installation de la colonie a de chances de se trouver renforcée. Les marchands qui retirent annuellement des milliards de centimes de ce trafic ne peuvent en effet refuser quelques dizaines de millions pour les progrès de « l'établissement », dont la politique est très souvent une humanisation de la traite. Pour les marchands, la colonie est un mal nécessaire...

La traite se pratique chaque année aux grands carrefours naturels : Tadoussac, Québec, Trois-

Rivières, sault Saint-Louis. Elle est l'occasion de
fameuses « tabagies » et l'on y établit de nombreux
contacts qui déterminent souvent la paix ou la guerre
pour l'an à venir. Elle joue également le rôle de poste
puisque c'est là que l'on donne et apprend les
nouvelles de clans parfois fabuleusement éloignés.
On y chuchote aussi les secrets, on y élabore des
traités, des complots... On y fait évidemment du
commerce, le plus possible. Ainsi étaient nos foires de
Champagne ou de Bordeaux.

LA FOURRURE AU-DESSUS DE TOUT

Au temps de Cartier, la traite est un échange de
curiosités : une coiffure de plumes contre un canif, une
veste contre une clochette. Les marins un peu cruels
s'y amusent, car l'Indien ou l'Indienne offre volontiers une culotte ou une robe contre un couteau, un
miroir. Il est facile d'imaginer les ricanements des
matelots, leur sentiment de supériorité envers ces
pauvres gens, nullement préparés à la rencontre avec
l'Europe, qui n'ont pas, de la pudeur, la même
mesure que les hommes barbus montés sur des
bateaux-montagnes. Bien souvent, l'Indienne débar-
rassée de sa robe croit elle aussi avoir fait la bonne
affaire en emportant, sous les regards avides, son
petit miroir. Et tous comptes faits...

Tout cela ne dure qu'un temps, très court. Pareil à
celui de la candeur ou de l'enfance. Les pelletiers de
France découvrent vite la valeur des peaux accidentellement acquises. Étant donné la forte consomma-
tion des vêtements chauds à une époque où l'on ne
sait chauffer ni les chaumières ni les châteaux, il y a

longtemps que plus un seul royaume européen ne peut fournir les fourrures demandées. La Pologne et la lointaine Russie répondent à la demande, mais à des prix qui ne permettent que des bénéfices ordinaires, ce qui, on le comprend, ne déclenche aucun enthousiasme dans l'univers des commerçants. Avec la Nouvelle-France, ou avec Champlain, ces deux noms se confondant à merveille, le marché change très vite. En dix ans, la traite est devenue une industrie considérable. Les fourrures collectées représentent des centaines, bientôt des milliers de tonnes. En Europe où l'on ne saurait être présentable sans un chapeau de castor, les belles de toutes conditions n'imagineraient pas une robe d'hiver sans larges parements de fourrures.

Pour l'instant, tout va bien, c'est l'Indien qui chasse. Dès la belle saison, quand le terrible soleil canadien a fondu les glaces et même rendu tiède l'eau des rivières et des lacs, les Indiens arrivent par groupes, un peu comme des caravanes, avec des canots en guise de chameaux. Ils s'assemblent sur les immenses places dégagées où s'élèvent les deux ou trois minuscules cabanes des traiteurs.

Le Montagnais, l'Algonkin, le Souriquois ou le Papinachois, qui aurait donné sa femme pour une hache ou un chaudron de fer battu a disparu depuis longtemps. Les Indiens qui viennent maintenant à la grande traite sont eux-mêmes des commerçants. Ce sont des gens qui profitent d'une situation stratégique de leur clan ou qui ont eu la « chance » de rencontrer les Français.

Les premiers rassemblent les peaux de clan à clan par un troc évidemment chétif pour les convoyer jusqu'aux grands rendez-vous. Là, attendent d'énormes navires à l'ancre, face auxquels leurs canots paraissent encore plus dérisoires. Un canot d'écorce, cela fait 5 m de long, 1,20 m en son plus large. Pour ne pas passer au travers, on doit y monter en mocassins. On s'y tient accroupi durant l'interminable temps de navigation. Pour le conduire, il faut un minimum de deux pagayeurs. Le canot transporte en outre leurs armes, leurs vivres et 500 kg de fret. En cas de voyage de guerre ou d'exploration, on peut y tenir à six, à condition de respecter les règles de navigation indienne. Il est si léger qu'en cas de portage, un seul homme peut aisément le transporter.

Lorsque les affaires sont bonnes, ce sont cent, deux cents canots qui arrivent à la fois, débordants de fourrures, à la grand-place de traite. Les traiteurs les attendent, chacun dans un carré tracé au sol et gardé par des commis. De là, ils vont saluer les indigènes de connaissance et faire « innocemment » briller les nouveautés. Ils leur ont même donné quelques menus présents d'amitié pour amorcer le chaland, car Champlain comme ses successeurs s'ingénie à promouvoir la concurrence entre les traiteurs, seule façon de protéger un peu les Indiens contre la monstrueuse rapacité des trafiquants.

Les indigènes traiteurs sont à cet égard sans doute plus malins que leurs congénères de la grande forêt, mais ce sont encore des enfants de chœur à côté des commis de traite.

LE COMMIS DE TRAITE

Bras droit du commerçant, il doit être aussi son œil pour assurer une estime « valable » des prodigieuses peausseries qui lui sont proposées. Pour les Indiens, il est avant tout l'homme riche, une sorte de super-seigneur à qui il faut plaire pour obtenir tout ce qui fait la différence entre le sauvage et l'Européen civilisé.

Le commis est une brute, avide, inconsciente et courageuse. L'Indien ne compte pas pour lui. Si celui-là meurt, tant pis ! Il en viendra un autre plus souple, moins cher dans ses prétentions. Le but de sa vie en Amérique consiste à accumuler les peaux, les plus belles et les plus nombreuses, en échange du moins possible de choses. Au début, il offre des médailles, des petites clochettes, des couteaux. Mais, très vite, on l'a vu, les Indiens se rebiffent et demandent un peu plus. Cela ne va pas tout seul.

Grâce à la concurrence des Basques et des Roche-lais, les « prix » montent. En quantité, bien sûr, mais surtout en qualité. Du premier — on pourrait pres-que dire l'antique — chaudron en fer battu qui ne tient que quelques saisons, on passe au chaudron de bronze. Couteaux et épées sont trempés. La hache, base et monnaie de toute transaction, cesse d'être en fer forgé pour posséder un tranchant d'acier.

Du point de vue des armes à feu, le progrès est nettement sensible. On commence tranquillement avec l'arquebuse, mais son emploi est fort probléma-tique en grande forêt, et les Indiens, un instant éblouis, n'en veulent bientôt plus. Il faut faire mieux, plus léger, plus sûr, plus solide. Les armuriers de Bordeaux inventent le fusil « boucannier », qu'ils vendent d'abord dans les îles françaises, les Antilles. Leurs confrères de Saint-Étienne et de Tulle leur emboîtent tout de suite le pas. Les soldats du Roi Très Chrétien sont encore équipés d'invraisembla-bles escopettes, que les Indiens et les coureurs des bois usent déjà d'armes remarquables qui pèsent à peine 8 livres et sont pourvues de platines à silex au fonctionnement fiable à presque cent pour cent. Les premiers vrais fusils à silex ont des platines « à chenapan ». Ils sont rapidement remplacés par la platine française à silex, c'est-à-dire à bassinet, batterie-couvercle et ressort de batterie. Ce système, qui sera employé sans grande modification jusqu'au XIXᵉ siècle a en outre l'avantage de pouvoir se monter aussi bien sur un fusil que sur un pistolet.

Le grand « boucannier » à silex, qui porte à 200 pas, peut tirer 30 coups avec la même lamelle de silex sans risque de long feu. Les premiers arrivent sur le marché dès 1625. Les Indiens, qui savent tous tailler le silex, et pour cause, ne manqueront jamais de pierres. Son calibre est de 22 ou 24 balles à la livre de plomb. Il est appelé par tous les utilisateurs du monde « calibre de France ».

Il va sans dire que le commis, obligé de fournir un tel matériel pour obtenir des peaux, cherche à les dévaloriser au maximum. Il se rattrape les années suivantes sur la poudre, les balles, les bourres grasses qui augmentent la portée. L'Indien qui n'habite pas trop loin du poste de traite et fait sa petite chasse seul ou en famille traite rarement avec les grands commis. Il est client des matelots et des officiers de bord qui, tous, traitent au « petit bonheur ».

Jamais ni nulle part le sac du matelot n'a été aussi rebondi. En abandonnant un petit bénéfice, les marchands sont assurés de la collaboration des meilleurs marins de leur temps. En dix ou douze voyages, chaque marin, s'il n'est pas ivrogne ou joueur, peut s'acheter sa maison, son lopin de terre, se marier « dans ses meubles », ce qui n'est pas une mince promotion. En quelques voyages de plus, il peut accéder à ce que l'on pourrait considérer aujourd'hui comme une gentille retraite.

Pour le trafic en gros, c'est d'abord le commis qui gagne par l'acquisition des plus belles pelleteries, et surtout des plus rares, et puis pour la grosse cavalerie, le marchand. Mis à part un choix particulier pour sa femme ou une maîtresse, le marchand est d'abord intéressé par le nombre, c'est-à-dire par des cales pleines. Tant pis si, au milieu d'une pile, on a glissé une ou deux peaux de moindre valeur. Il joue la grosse bourse et gagne énormément la plupart du temps.

On sait aujourd'hui que lorsque la traite est qualifiée de mauvaise, cela veut dire que le marchand n'a pas gagné plus qu'au temps de la fourrure « de Pologne »...

Le commis de traite, sauf en de très rares cas où l'aventure l'emporte sur l'appât du gain, n'est là que pour faire sa pelote sur le dos de l'Indien. Rentré en France, il devient généralement un fermier cossu, parfois un commerçant. Son âpreté, sa dureté classique de paysan français feront bientôt merveille. La plupart des commis à la retraite ont agrandi leur bien. Il en vient de partout, de Franche-Comté comme du Berry, de Normandie ou d'Aquitaine, de Picardie ou d'Auvergne.

Pour les marchands, les choses iront très bien durant des siècles. Ne nous leurrons pas : les superbes maisons de Dieppe, de Rouen, de Honfleur, de La Rochelle et de Nantes en dernier ont été payées pour les trois quarts grâce à la traite des fourrures des visons ou des castors étranglés par le super-chasseur de la grande forêt américaine. La meilleure excuse des marchands de cette époque fut leur sens de la beauté.

Beaucoup d'entre eux font au moins une fois le voyage — à Tadoussac ou à Trois-Rivières. Ils en rapportent des souvenirs comme le feront leurs descendants qui vont à Lourdes ou bien aux Pyramides. Dans toutes les vieilles maisons citées plus haut, bien des greniers sont encore encombrés de malles remplies de costumes racornis, de *tomahawks,* de coiffures de plumes et de *wampums* poussiéreux.

DORÉNAVANT, TOUS CHASSEURS

Pour les Indiens des années 1630 à 1680, la traite semble une bonne chose et le castor une monnaie stable qui vaut largement l'or des Français. Nul ne pourra jamais les empêcher de croire qu'ils sont de bons hommes d'affaires. Voici un « tarif » moyen qui couvre ces années. Si l'on songe que plus de 100 000 Amérindiens ne vivent à peu près que de la traite, on peut se faire une idée plus juste du massacre des animaux.

    1 fusil : 6 castors;
    1 couverture blanche (de Normandie) : 6 castors;
    1 grand capot (manteau) : 3 castors;
    2 livres de poudre : 1 castor;
    4 livres de plomb : 1 castor;
    8 couteaux à manche de bois : 1 castor;
  25 alênes sans manche : 1 castor;
  12 fers de flèche : 1 castor;
    1 couverture « à l'iroquoise » : 3 castors;
    1 couverture de ratine : 4 castors;
    1 barrique de blé d'Inde : 6 castors;

2 épées : 1 castor;
2 tranches : 1 castor;
2 haches : 1 castor;
1 baril de lard : 3 castors.

Il faut noter que la barrique de blé d'Inde est récoltée par les colons français et le plus souvent vendue aux Hurons dont c'était quelques années auparavant la spécialité.

La traite a une influence considérable sur le comportement, on pourrait dire la civilisation des Amérindiens dans leur ensemble.

Les Algonkins et assimilés chassaient pour se nourrir, se vêtir. Les Hurons et les Iroquois seulement pour améliorer un peu l'ordinaire et faire de temps à autre un repas à « tout manger » qui est une sorte de rite. Avec le grand développement du marché de la fourrure, ces habitudes se transforment.

Déjà, on avait noté un changement considérable dans la population qui, d'iroquoise au temps de Cartier, était devenue algonkine lors du commandement de Champlain. Cette fois-ci, nous assistons à une révolution.

Chasseurs ou agriculteurs, les Indiens ne vont plus penser qu'à la chasse-fourrure. Très vite, ils acquièrent des couteaux de fer, des alênes, des pièges à mâchoires, des fusils, tandis que castors, renards, loups, orignaux commencent à connaître la vie dure.

La hache de fer ou d'acier a définitivement remplacé le *tomahawk* de pierre, l'arc aussi tombe en désuétude malgré les pointes de flèche métalliques.

Avant l'eau-de-vie, les Indiens découvrent le pain, le sel surtout, dont bientôt ils ne peuvent plus se passer. Malgré les réserves importantes de l'immense forêt, le gibier s'épuise. Alors, il faut aller plus loin, toujours, pour trouver des fourrures. Il faut aller si loin que les Iroquois et les Hurons délaissent peu à peu leurs cultures.

Au moment où, grâce au matériel français (les Anglais font un peu moins de traite), les Indiens pourraient enfin développer leurs techniques et trouver une évolution originale, ils abandonnent tout pour devenir des artisans-chasseurs acharnés à la destruction du gibier. Ils s'enfonceront même si loin qu'un jour ils ne pourront plus revenir aux rendez-vous de traite, car le temps leur manquera.

Les coureurs des bois, ces Français magnifiquement « indianisés », devront aller quérir les fourrures sur place. Naturellement, les Indiens y perdront encore, car ces hommes, qui font ce qu'eux ne savent plus faire, ne pratiquent pas le service gratuit.

LE PETIT ROI DE TADOUSSAC

Né aux environs de Rouen en 1587, Nicolas Marsolet débarque avec Champlain à Québec. Nous sommes en 1608. Québec ne représente qu'une cabane, un magasin, une grange plutôt. Quelques compagnons y vivent, écrasés par l'immensité du pays et bientôt apeurés par la rigueur de l'hiver. Nicolas échappe au scorbut.

Dès le printemps suivant, il accompagne Champlain dans tous ses voyages et devient rapidement un « très bon homme de canot ». Le voici l'inséparable ami d'Étienne Brulé. Bien qu'engagé directement par Champlain, « tout féru » de colonisation et d'évangélisation, il passe au service des marchands et devient coureur des bois avec Brulé. Tous deux

s'indianisent aisément. Ils sont bientôt aussi forts
que leurs maîtres indigènes, à la chasse, au maniement des canots et dans les interminables randon-
nées hivernales en raquettes.

A mener cette vie au moins surprenante pour un
sujet de Henri IV, Nicolas Marsolet, qui est un peu
moins sauvage que Brulé, devient l'interprète privi-
légié de la colonie. Toute l'année, il se déplace avec
« ses » Indiens de Tadoussac à l'île des Allumettes,
sur l'Outaouais — de Paris à Prague.

A l'arrivée des Anglais, Marsolet, l'agent des
commerçants, passe sans barguigner à leur service.
De plus, il empêche Champlain d'emmener en
France deux jeunes Indiennes, Espérance et Charité.
Les deux jeunes filles l'accusent clairement de s'opposer à leur départ dans le but d'abuser de leur
candeur. A quoi Marsolet répond « qu'il a beaucoup
mieux dans son chausson et qu'il ne s'en sert point ».

Au retour de Champlain, l'ambiance est assez
explosive entre les deux hommes. En 1633, on parle
en effet beaucoup de Nicolas Marsolet. Brulé est
mort, mais le Normand, de plus en plus ami avec les
Indiens, est reconnu indispensable par les directeurs
de la Compagnie des Cent-Associés qui a désormais
le monopole du commerce. Il touche de très fortes
primes pour reconstituer les réseaux de traite. Le
jésuite Paul Le Jeune et Champlain se plaignent
amèrement de lui en haut lieu. Vivant en joyeux
concubinage, n'allant pas plus souvent au saint office
qu'il ne se lave, enrichi par le grand soin qu'il met à
traiter ses affaires, il passe à leurs yeux pour un
suppôt de Satan.

En 1636, un émissaire de Louis XIII le rencontre
discrètement. On ne sait pas ce qu'ils se disent, mais
le terrible coureur des bois, l'homme au fusil infailli-

ble, se range soudain du côté des colonisateurs. Il épouse Marie Barbier et, l'année suivante, fait baptiser son premier enfant. Il prend possession d'une seigneurie de 1 km sur 6 sur le Saint-Laurent. En 1640, il achète une terre sur le coteau Sainte-Geneviève. Deux ans plus tard, il devient commis officiel des Cent-Associés, mais, comme il faut s'y attendre, pratique surtout la traite pour son compte.

En 1647, il acquiert un navire et fait avec lui la liaison Québec-Tadoussac. On le surnomme alors « le Petit Roi de Tadoussac ». Il touche à tout. On sait qu'il a ouvert un estaminet à Québec puisque vers 1664 il a des démêlés avec le Conseil souverain pour avoir vendu du vin à 25 sols le pot, en dépit des décisions du Conseil.

Cependant, la chance lui sourit toujours. Il reçoit les « prairies Marsolet », au cap de la Madeleine (2 km de front sur 8 de profondeur). En 1668, il déclare avoir 71 arpents en culture, soit un peu plus de 50 ha, c'est-à-dire une surface très importante pour l'époque. Toutes ses terres sont exploitées par des fermiers.

Marsolet continue la traite jusqu'à soixante-treize ans. A chaque saison, il repart faire 300 ou 400 km à pied et en canot, dort à la belle étoile durant des semaines, au risque de rencontrer un parti iroquois, ce qui lui arrive encore dans sa soixante-dixième année.

A partir de 1660, il demeure à Tadoussac. Il vient mourir à Québec en 1677, à l'âge de quatre-vingt-dix ans. Une véritable foule se rend à son enterrement : ses dix enfants et leurs descendants...

6/ *Les débuts de la Nouvelle-France*

Du temps de Champlain, on ne s'est pas préoccupé outre mesure d'évangéliser les indigènes. Les guerres de Religion n'étaient pas encore éteintes et nul ne se souciait d'aviver des cendres encore rouges dans une entreprise aussi fragile que celle de la création de la Nouvelle-France.

Des religieux sont pourtant venus et ont travaillé avec zèle à la conversion des Indiens. Cela n'a pas marché très fort. Les « sauvaiges » sont particulièrement rebelles à tout fanatisme religieux. Les pères récollets, Le Caron, Sagard, le jésuite Biard ont surtout fait fonction d'attachés de presse.

Leurs fougueux mémoires de voyage sont un constant appel à l'émigration, la colonisation. Le Caron écrit même que, « dans un pays de misère tel que la France, il vaudrait mieux envoyer les fils sur une terre riche et pleine de promesse que de les faire entrer au couvent ». Le malheureux Biencourt de Poutricourt clame lui aussi : « Venez en Acadie ! » De l'autre côté de la Manche, le voyageur John Smith publie, en 1616, *A Description of New England*, qui est reçu avec enthousiasme. En 1618, Champlain a rédigé son fameux mémoire adressé à la chambre de commerce de Paris. C'est un plan minutieux et complet de colonisation. Tout cela finit par former un mouvement, à peine ruisseau, qui finira torrent au XIXᵉ siècle.

ADMINISTRER

Huaut de Montmagny, le premier gouverneur

Huaut de Montmagny, successeur de Champlain nommé juste avant sa mort, va trouver le chemin tracé.

Cet ancien officier de marine de haute lignée, éduqué par les jésuites, a cinquante-deux ans lorsqu'en 1635, il est nommé gouverneur de la Nouvelle-France. Sa commission sera renouvelée quatre fois. Champlain, dont la commission fut renouvelée sept fois, n'était que « commandant en l'absence de Richelieu ».

Huaut est l'homme de la situation. Administrateur pointilleux, autant qu'amoureux de l'aventure, il se battra en personne contre les Iroquois. Les Indiens l'appelleront vite « Onontio », la Grande Montagne. Ces sauvages hypersensitifs ne se sont pas trompés, et le surnom deviendra le titre de tous les gouverneurs qui suivront.

Le premier gouverneur de la Nouvelle-France trouve un pays peuplé de 150 habitants, chiffre absolument dérisoire, compte tenu de l'immensité du territoire. Mais ces colons sont une élite de courage, de persévérance... et de fécondité. Fortement chrétiens pour la plupart, ils favorisent de leur mieux l'installation des congrégations religieuses qui prennent pied en Nouvelle-France.

Les Indiens chrétiens sont au nombre de 54 baptisés. A noter que 39 d'entre eux meurent quelques jours après leur baptême. Deux Indiens que l'on pourrait qualifier de « surdoués », puisque l'un d'eux, Patetchouan, outre le français, parle et écrit très convenablement le latin, renient leur baptême et deviendront même de grands ennemis de l'Église. Il ne reste donc que 13 Indiens chrétiens sur une population de plus de 100 000 individus.

On a fondé une société...

Depuis sa création, l'expansion de la Nouvelle-France est confiée à des compagnies privées qui reçoivent en compensation le monopole du commerce qui s'y peut pratiquer.

Il n'est pas absolument nécessaire de préciser que les actionnaires de ces compagnies ne songent qu'à deux choses : organiser la traite d'abord, et respecter le moins possible le cahier des charges imposé séraphiquement par le Conseil royal ensuite. Cette obéissance pourrait éventuellement coûter de l'argent : c'est le système de la ferme auquel l'Ancien Régime a recours en toutes circonstances avec une fidélité qui confine à la manie.

Ainsi, au cours de ces années d'aventure, on a vu se constituer la Compagnie de La Roque de Roberval, celle de Montmorency, de Lévy de Ventadour, de La Roche de Coëtarmoal, de Du Gua des Monts, de De Caën, seigneur protestant ni plus ni moins avide que ses prédécesseurs, mais plus abondamment calomnié qu'eux en raison de sa religion.

Les tentatives abondent et avortent avec un même entrain. Toutes sont nées avec panache et mouvement de menton en direction de l'évangélisation des sauvages, de la colonisation, de la grandeur du royaume. Toutes ne visent en réalité qu'à faire maladroitement des profits sur les ruines de la précédente. Malgré cette touchante unanimité, la colonie survit, existe peu à peu en dépit des avanies, des scandales et des prédictions néfastes.

De faillites en complots, nous arrivons au 6 mai 1628, jour où, « au camp devant La Rochelle », Louis XIII, enfin conscient de cette increvable Nouvelle-France, confirme et ratifie tous les articles proposés par Richelieu pour la création d'une « Compagnie de la Nouvelle-France » qui aura son siège à Paris et sera composée de cent associés versant chacun une somme de 3 000 livres.

On ne parle plus bientôt que de la Compagnie des Cent-Associés. Les trois premières années — on le jure devant notaire ! — les bénéfices seront versés au fonds commun pour renforcer la Compagnie. La lecture des « engagements » pleine d'admirables projets et serments est tout à fait édifiante. Le dernier chapitre est plus rassurant : la gestion est confiée à douze directeurs — actionnaires, évidemment — ayant « l'entier maniement et conduite avec plein pouvoir, sur les fonds, le recrutement des émigrants, la concession des terres »...

Les Cent-Associés reçoivent les habitations de Québec, Cap-Tourmente, Miscou, Port-Royal et Cap-de-Sable, les installations et plantations déjà existantes, deux navires de guerre, quatre canons de fort et la totalité du territoire de la Nouvelle-France selon Verrazano, c'est-à-dire les terres s'étendant entre la Floride et l'océan Arctique. Anglais et Hollandais sont généreusement compris dans cette donation ! Ils sont installés à Salem, Plymouth, Orange, New Amsterdam, Nassau et Jamestown.

Richelieu à l'avant-garde

Une seule clause de ce mirifique traité mérite une attention particulière. Elle est tout à l'honneur du génie libéral français qui existait bien avant la naissance des philosophes : « Les descendants des François qui s'habitueront audit pays, ensemble les sauvaiges qui seront amenés à la connoissance de la Foy et en feront à leur mieux profession, seront censés et réputés naturels François. S'ils viennent en France, Jouirront des mêmes privilèges que ceulx qui y sont nés. » Dans un monde où tout nègre, tout Mexicain ou Indien d'Amérique du Sud est a priori considéré comme esclave, c'est une disposition unique.

Malgré tant de donations, de privilèges, de puissance et aussi de réalisme humanitaire, la Compagnie des Cent-Associés ne fera pas beaucoup mieux que ses aînées.

Les exigences d'une colonie si lointaine, bloquée cinq à six mois par an par les glaces, réduiront assez vite les monstrueux bénéfices pour arriver à ne plus produire que des bilans au bord de la rentabilité. Dans le même temps, le commerce des Antilles prendra des proportions énormes. C'est donc dans cette direction que se porteront d'abord les ambitions des commerçants.

COLONISER

Toutefois, la Nouvelle-France est en route. Plus rien ne pourra l'arrêter.

Le premier enfant viable né sur cette terre, à Québec en 1620, fut une fille, Hélène Desportes.

Avec l'arrivée de nouveaux colons, chaque année, une espèce de miracle s'accomplit. Ces hommes et ces femmes qui viennent de quitter des habitations relativement confortables doivent s'habituer d'un coup à passer le féroce hiver canadien dans des cabanes très primitives. D'une complexion très ordinaire, ils vont donner la vie à des enfants d'une taille et d'une vigueur exceptionnelles, et la mortalité infantile s'abaissera à un niveau inconnu jusqu'ici.

Les premiers émigrés

Deux ans après le groupement Giffard, en 1636, le clan de Le Gardeur et Le Neuf, deux tout petits seigneurs normands, débarque avec 45 personnes. Le groupe est guidé par un habitué des parages, Jean-Paul Godefroy, dont le père est un des fondateurs de la Compagnie des Cent-Associés. Godefroy est un des « jeunes garçons » de Champlain, interprète, voyageur, batailleur à l'occasion. Dans quelques années, il épousera la fille de Pierre Le Gardeur de Repentigny.

Avant toute chose, être colon demande un état d'esprit particulier. Homme ou femme, le colon est d'abord quelqu'un qui, pour des raisons personnelles, en a assez de la vie qu'il mène au vieux pays.

Il est sûr qu'au début de l'aventure, la férocité et l'incohérence des guerres de Religion sont un puissant ferment à la volonté de respirer « ailleurs », au profond désir de trancher avec un passé trop lourd de rancunes. Protestant ou catholique, le colon a un goût commun de la liberté, sentiment qui ne pousse qu'à l'abri du besoin. Sans être riche en France, le futur colon est généralement à son aise. Il est bourgeois, petit seigneur ou bien exerce une profession libérale. Plus tard, il sera souvent soldat. Le simple paysan ne fera d'abord que suivre son seigneur, plus tard il sera censitaire d'une compagnie.

Le colon canadien est une sorte d'homme universel. Ce qu'il ne sait pas encore, il faudra qu'il l'apprenne, sur le tas, mais très vite et très bien. En dehors du courage, dénominateur commun à tous ces gens, il doit avoir des connaissances en médecine primaire, en agriculture. Il doit savoir herboriser aussi bien que Jean-Jacques Rousseau, bâtir sa maison, ses granges, fabriquer et entretenir la plus grande partie de ses outils. Il est menuisier, tisserand d'occasion, chasseur, pêcheur et guerrier, même si c'est un pacifiste enragé : l'Iroquois ne se prête pas à la discussion moraliste.

Outre leur fécondité ahurissante, sa femme et sa fille sont elles aussi des femmes universelles, pourvues des mêmes qualités que le « père », y compris le maniement du mousquet qu'elles utilisent en son absence.

Elles sont expertes en cuisine et en conservation illimitée des aliments. Elles fabriquent les vêtements et entretiennent la « poulaille », c'est-à-dire la basse-cour, tâche qui n'est pas facile dans l'hiver canadien.

Son fils est un colosse adapté à son milieu. Il est évidemment rompu à tous les travaux de la ferme, mais il subit plus que son père le charme de la vie sauvage. Le voisinage des Indiens et des espaces sans

limites chante à sa jeune imagination. Le jeune
Canadien ne va pas « jeter sa gourme » comme ses
congénères d'Europe. Il « file » en forêt dès que la
rançon de la ferme le permet. L'hiver, il fait merveille
en partant sur ses raquettes à des distances difficilement imaginables. Né sur place, il est aussi agile que
l'Indien et en sait autant que lui sur les secrets de la
nature. Le travail de la ferme lui a donné des bras
d'une vigueur inconnue sous les *wigwams*.

En deux ou trois petites générations de vingt ans,
les jeunes Canadiens vont conquérir les trois quarts
de l'actuelle Amérique du Nord.

Croissez et multipliez

Le peuplement de l'immense vallée du Saint-
Laurent est tout à fait imprévisible. On pourrait le
comparer à ces plantes qui poussent toutes seules
dans un terrain vague, résistant à toutes les pollu-
tions, aux jeux dévastateurs des gamins et à l'assaut
quotidien des chiens.

Soyons assurés que si les administrateurs des
compagnies marchandes avaient pu deviner un instant ce que deviendraient les rares familles qu'ils ont
autorisé (à quel prix !) à émigrer, ils auraient engagé
des tueurs à gages pour s'en débarrasser tout de
suite.

Le fil chétif qui relie la Nouvelle-France au vieux
pays est apparemment gorgé de sang magique.
Même lorsqu'ils sont assez âgés, du moins pour
l'époque, ceux qui se prennent de la « fièvre du
Canada » traînent avec eux une aura de fécondité.

Ainsi, Guillemette Hébert, la fille de Louis Hébert,
le premier colon du Canada. A quinze ans, en 1621,

elle épouse Guillaume Couillard, et sa maison est la seule habitation privée sur tout le territoire qui soit autre chose qu'une cabane. Elle supporte l'occupation anglaise avec beaucoup de dignité. Les témoignages de Kirke et de Le Baillif en font foi.

Au retour des Français, son foyer compte dix enfants auxquels il faut ajouter les deux jeunes Indiennes, Espérance et Charité, que Champlain avait voulu conduire en France, et Olivier Le Jeune, son domestique noir. Les jésuites écrivent que sa maison est « bruyante et fort indisciplinée », ce qui signifie sans doute qu'elle est pleine de vie.

En 1645, Guillemette marie sa troisième fille, Élisabeth. Pour la première fois en Nouvelle-France, deux violons accompagnent le cortège. En 1660, elle perd deux de ses fils et son neveu Joseph Hébert qui sont tués par les Iroquois. Guillaume meurt en 1663. Elle marie tous ses enfants et s'occupe beaucoup de la conversion des petits Indiens. Elle est marraine plus de trente fois.

En 1666, elle vend, selon la coutume, le terrain nécessaire à la construction d'un petit séminaire. Ses enfants s'y opposent violemment, malgré l'autorité de Mgr de Laval. Le procès commencé en 1666 contre l'évêché dure encore au xxe siècle. Vite lassée par cette redoutable querelle de famille, elle se retire à l'hôtel-Dieu de Québec où elle meurt en 1684. Elle laisse 250 descendants vivants. Aujourd'hui, malgré les travaux les plus sérieux, il est impossible de les dénombrer avec exactitude.

Voici un autre exemple qui montre l'étonnante adaptation des Français au pays laurentien.

En 1626, à Saint-Jean-d'Angély, en Saintonge, Madeleine Couteau devient l'épouse d'un robin, Étienne de Saint-Pierre. Il lui fait deux filles et meurt dix ans plus tard. La succession du défunt est très embrouillée et, peu d'années après, la veuve se trouve, toutes proportions gardées, dans une situation voisine de la misère.

Elle connaît les Guillet, des voisins qui ont tout quitté pour le Canada et lui ont fait dire qu'ils s'en trouvent bien. Madeleine Couteau, à qui il est difficile de supporter un changement de situation dans une petite ville, s'embarque à La Rochelle.

Elle a quarante et un ans, sa fille aînée vingt et la cadette seize.

Le 12 octobre 1647, moins de deux mois après son arrivée, Madeleine Couteau épouse à Québec un Saintongeais comme elle, Emery Caltaut. En 1653, le malheureux est tué devant sa maison par les Iroquois. La veuve se trouve à la tête du domaine situé au cap de la Madeleine où vivent également les deux fils Guillet.

Tout à fait rebelle au veuvage, Madeleine Couteau épouse alors Claude Houssard, un Angevin. Elle refuse une proposition de retour en France et s'accroche au domaine. En 1659, ses deux filles épousent le même jour les deux frères Guillet. C'est l'occasion d'une fête considérable à Québec.

Trois ans plus tard, le mari de Catherine, l'aînée, Mathurin Guillet, est tué par les Iroquois. La jeune veuve, qui a deux petits garçons, se marie alors avec Nicolas Rivard de Tourouvre (dans le Perche). L'année suivante, en 1664, le frère de Rivard épouse la fille de Pierre Guillet de de Jeanne la cadette des filles Couteau (de Saint-Pierre), donc la petite-fille de Madeleine.

De labourages en coups de fusil aux Iroquois, les naissances, baptêmes, mariages continuent...

Lorsque la vieille dame saintongeaise meurt à

quatre-vingt-cinq ans en 1691, elle est grand-mère de 21 petits-enfants et arrière-grand-mère de 65. Ils occupent 31 fermes.

Durant ses quarante-quatre années de vie canadienne, elle a aidé au défrichement de 400 arpents, fait trois fois le coup de feu contre les Iroquois et élevé tous ses petits-enfants, tandis que leurs parents assuraient la vie de l'exploitation.

Suivant l'usage de l'époque, tous les cadets se choisissent un nom pour devenir à leur tour fondateur de lignée. Ainsi naissent les familles Beaucour, Bellefeuille, Cinq-Mars, Lacoursière, Laglanderie, Lajeunesse, Lanouette, Loranger, Maisonville, Monttendre, Préville, et, du côté direct des Guillet : Baril, Champoux, Dutaut Deshaies, Lafond, Macé, Marchand, Moreau, Rouillard...

Est-il besoin de préciser que chacun des « chefs » de ces familles nouvelles s'empresse de convoler pour « inventer » à son tour une nombreuse famille ?

Le « rang » canadien

Le résultat de cet acharnement à vaincre l'hiver, l'Iroquois et surtout le commis des compagnies, c'est la création de douzaines de petites fermes étroites qui s'alignent perpendiculairement au Saint-Laurent : le « rang » canadien, inventé par Giffard.

Pour la sécurité, on ne s'éloigne pas trop de la « ville ». Le rendement n'en est pas moins excellent. Quoi que la propagande anticoloniale des marchands ait pu dire et répéter, les exploitations produisent suffisamment pour nourrir les habitants et bien souvent les clans d'Indiens amis.

L'expansion est pourtant freinée aussi bien par les

compagnies que par les autorités, personne ne comprenant encore très bien le fait canadien qui est
pourtant parfaitement ressenti et assumé par la
minuscule population.

Quatre-vingts pour cent des immenses terres
concédées sont entre les mains de soixante-deux
« seigneurs »[1] et à peine un pour cent d'entre elles
redonnées à des censitaires. La plupart des domaines
sont déserts, car la majorité des seigneurs ne s'occupe
que de la traite. La Nouvelle-France s'élabore sur
moins du cinquième des territoires désignés par les
notaires.

Après leurs trois ans de service au profit des
compagnies, les futurs colons se voient opposer d'innombrables obstacles juridiques, parfois même religieux à leur installation. Dans le même temps, le
commis leur propose un léger dédommagement pour
revenir en France. Trois sur quatre acceptent.

Dans l'esprit des marchands, cette contre-
propagande doit dégoûter les candidats à la colonisation. C'est fou ce qu'il faut faire pour conserver un
marché succulent. On comprend que ceux qui restent forment une élite capable de toutes les résistan-
ces et sont des gens peu faciles à manier.

Témoin, Guillaume Couillard, mari de Guillemette Hébert, l'un des tout premiers Canadiens
vivant de sa terre.

Né en 1590 dans la paroisse de Saint-Landry à
Paris, il était charpentier, calfat et matelot, et fit ses

---

1. Il n'est pas nécessaire d'être noble pour devenir seigneur canadien.

premières armes dans la batellerie parisienne. Il vint au Canada avec Champlain, lors du voyage de 1613.

Il est donc l'un des tout premiers habitants puisque Hébert, dont il épousera la fille, n'arrive qu'en 1617. A la mort de son beau-père, il reprend son exploitation à moitié. Pour la première fois en Amérique, il utilise la charrue tirée par des bœufs. Nous sommes en 1628. Champlain lui adjuge 100 arpents de plus.

L'année suivante, Kirke, ses fils et d'autres Anglais débarquent. Guillaume Couillard est le seul à demeurer sur sa terre. Les Anglais l'ignorent. Lorsque les Français reviennent, il possède 25 arpents en culture (environ 18 ha).

Dès 1639, il construit un moulin à vent. Jusqu'à sa vieillesse, il se bat comme un enragé contre les Iroquois et participe à plus de vingt batailles. Il prétend avec un gros rire qu'il a « dix raisons de ne voulouer laisser entrer les sauvaiges en sa cabane : ses dix enfants ». Sans compter ceux qu'il a adoptés. Le gouverneur, Huaut de Montmagny, le nomme « commis pour la visite des terres ensemencées et victuailles des habitants ».

Le vieux matelot construit plusieurs barques et voyage souvent entre Québec et Tadoussac en compagnie d'Olivier Le Jeune, son fils adoptif.

Le gouverneur Jean de Lauson le fera anoblir en décembre 1654. Le nouveau noble ne sait ni lire ni écrire et signe depuis toujours les actes d'un petit dessin fort original, écrit le bon Honorius Provost : ce dessin représente une sorte de cœur renversé. Il meurt à Québec en 1663.

ÉVANGÉLISER

En 1641, les Iroquois déclarent la guerre aux Français. Tout change avec la brusquerie ordinaire qui semble marquer les étapes de l'histoire du Canada.

La cour se met à aimer la Nouvelle-France avec la même fureur qu'elle mettait à l'ignorer. La duchesse d'Aiguillon offre un hôpital, Mme de Chauvigny finance une institution pour jeunes filles, les jésuites ouvrent enfin une maison pour l'éducation des garçons. Les récollets ont aussi leur couvent. Enfin, on envoie 60 soldats au gouverneur Huaut de Montmagny, ce qui prouve au moins que l'on n'a pas la plus petite idée de la taille du pays et de ses réels besoins.

L'arrivée des puritains

Toujours en 1641, débarque le premier convoi de la Société Notre-Dame, association de gens pieux s'il en fut jamais. Ce sont un peu nos quakers. Leur chef, Chomedey de Maisonneuve, décide de s'installer à Montréal. A Québec où l'on s'accommoderait plus volontiers de leur présence que de celle des Iroquois, c'est la consternation. Chomedey de Maisonneuve, qui a des appuis en haut lieu, s'entête. Huaut de Montmagny se trouve bientôt dans l'obligation de l'aider.

Les « Montréalistes » bâtissent le fort de Ville-Marie sur l'emplacement déblayé par les hommes de Champlain. L'atmosphère est à la piété efficace. Du matin jusqu'à la nuit, on n'entend que des cantiques scandés par des coups de marteau. Le fort, les bâtiments d'habitation, le magasin, la chapelle s'élèvent dans l'enthousiasme. Avant l'hiver, ils sont à l'abri du gel, mais pas des Iroquois.

Dès l'année suivante, les pieux colons de Montréal, qui jusqu'ici n'étaient pas fâchés de donner une leçon de douceur envers les sauvages à leur collègues québécois, sont obligés de faire parler la poudre et de remettre l'évangélisation à plus tard. Ils apprennent eux aussi à défricher, le fusil en bandoulière. On ne possède pas de renseignements sur les titres des cantiques qu'ils chantent à cette occasion...

Insensiblement, la colonie s'affirme, se renforce. Pour chaque femme, une naissance tous les deux ans n'est qu'une formalité qui ne les empêche pas de travailler aussi dur que les hommes.

Les Montréalistes reçoivent des renforts. Ils sont insuffisants lorsque l'on décide de s'installer aux avant-postes. En 1647 et 1648, il faut aller les soutenir avec beaucoup de fermeté contre la férocité de ceux qui ont juré d'exterminer les Français, serment qui remplit d'une douce joie les Hollandais de New Amsterdam.

Tout en restant hostile aux projets des gens de Montréal, Huaut de Montmagny tient bon, administre avec autant de sagesse qu'il le peut son gigantesque territoire. Il tente d'amener les Iroquois à la paix. Ceux-ci lui mangent ses ambassadeurs.

Après l'enthousiasme du début qui s'était révélé générateur de tant de bénéfices, la Compagnie des Cent-Associés est au bord de la faillite. Les fourrures arrivent de plus en plus difficilement aux postes de traite par la faute des Iroquois. La Compagnie se désiste alors d'une partie de ses prérogatives en faveur de la « Communauté des Habitants », une société qui recueille en particulier l'exclusivité de la traite. Il semble bien que ces « Habitants » ne soient que les seigneurs, ou à peu près, et que de plus ils ne comprennent guère le grand commerce. Cela crée dès sa fondation un joli foyer de dissension.

Huaut de Montmagny a bien du mal à juguler les offensives saisonnières des Iroquois. Il tente une alliance du côté de la Nouvelle-Angleterre et finit par signer un traité à l'anglaise, c'est-à-dire qu'il n'y est pas question des Iroquois, mais seulement de quelques accords commerciaux.

Il organise un « camp volant » à Montréal, c'est-à-dire une cinquantaine de soldats ou réputés tels, organisés à la façon des partis de guerre iroquois, qui foncent sur l'ennemi à la moindre occasion. Ce camp volant remporte beaucoup de petites victoires sans beaucoup gêner les grands mouvements d'invasion.

Le gouverneur est rappelé en France en mars 1648. Sous son règne, on a joué deux fois la comédie à Québec, dont *Le Cid*, en 1646.

AU NOM DE DIEU

La guérilla iroquoise s'installe. Tout le monde s'accoutume, sinon s'habitue à la férocité quotidienne. Le bilan de l'évangélisation est squelettique et pourtant les nouveaux missionnaires se mettent à l'œuvre. Il faut évoquer ici ces hommes et ces femmes qui sacrifient leur vie au nom de Dieu, de même que les Indiens — eux aussi héroïques — qu'ils ont convertis.

Jean de Brébeuf : le goût féroce de Dieu

C'est un Normand, né à Condé-sur-Vire en mars 1593. Sa famille n'est pas de haute noblesse, mais remonte sans changement de nom à Guillaume le Conquérant.

Jean de Brébeuf n'est pas un foudre de la foi. Comme beaucoup de jeunes gens aisés de son temps, il « commence sa vie » vers quatorze ans et en découvre ardemment les saveurs, puis les aigreurs. Lorsque celles-ci commencent à l'emporter, il a vingt-quatre ans. Il entre au noviciat des jésuites de Rouen, devient prêtre, professeur, puis économe de son collège. Le provincial, Pierre Coton, le désigne pour les missions en Nouvelle-France. Il obéit comme il en a fait le vœu.

Lorsqu'il débarque à Québec en juin 1625, en compagnie des pères Lalemant, Massé et des coadjuteurs Charton et Burel, le temps est superbe. Malgré ses dimensions écrasantes, le paysage est splendide. Les quelques sauvages entrevus sont beaux et souriants. Après un horrible voyage, il découvre une vision du paradis. En plein été indien, il rejoint une bande de Montagnais. C'est l'enthousiasme. Mais, bientôt, arrive l'hiver. Le prêtre assez feutré qu'il a été jusqu'ici doit endurer les cinq mois d'errances et de famine très classiques dans la neige et le froid mortel de la forêt canadienne.

Au printemps, Brébeuf reparaît à Québec, amaigri, serein; il n'a même pas attrapé un rhume. Il parle parfaitement l'algonkin, ce qui est un record. Alors, on l'envoie aussitôt chez les Hurons dont il ne connaît rien... un détail qui montre que dès cette époque les admirables vertus administratives françaises sont couramment mises en pratique.

Brébeuf n'est jamais monté dans un canot et, bien sûr, ne sait pas nager. Pour son coup d'essai, il part donc pour la Huronie en compagnie de quelques Français et d'une douzaine d'indigènes qui rentrent chez eux.

Il remonte le Saint-Laurent, puis l'Outaouais, la Mattawa, la rivière de la Vase, le lac Nipissingue, la rivière des Français et enfin la baie Géorgienne, dans le lac Huron. Le voyage dure trente jours, portage compris, soit environ 1 300 km : la distance Paris-Naples.

Brébeuf s'installe à Toanché I, dans la tribu de l'Ours. Il y reste trois ans, apprend parfaitement la langue huronne et rate complètement sa mission évangélisatrice. Il repart précipitamment pour Québec où les Kirke campent avec 600 Anglais.

Le revoilà en 1633 chez les Hurons. Le 19 septembre 1634, il fonde une mission tout près de la précédente, à Ihonatiria. L'hostilité des indigènes apparaît très vite. Brébeuf, fin observateur, signale trois causes : l'immoralité naturelle des Indiens, leur attachement aux coutumes ancestrales, et surtout les épidémies qui ravagent le pays. Est-il besoin de préciser que personne ne tient compte de ses avertissements ? En 1639, malgré le développement de la petite vérole, il fonde une nouvelle mission à Saint-Joseph. En 1640, les Hurons, exaspérés de malheur, l'attaquent. Brébeuf et Chamonot sont roués de coups. Un certain Pierre Boucher, qui fera beaucoup parler de lui, est blessé au bras. Brébeuf rentre à Québec et devient procureur des missions. Les Iroquois s'emparent d'un convoi sur trois envoyés aux missions.

En 1644, Brébeuf n'y tient plus et retourne en Huronie. La population a diminué de moitié. Les Iroquois en profitent pour attaquer. Ils ont 300 fusils, les Hurons 4 ou 5; quant à la mission, elle en possède un vieux, pratiquement hors d'usage. En 1646, le père Jogues est assassiné.

En 1647-1648, la guerre tourne à la boucherie. En 1649, le 16 mars, les Iroquois envahissent Saint-Joseph. Le père Daniel est si percé de flèches que son corps « fait figure de porc-épic ». L'offensive s'achève par la prise de Saint-Ignace, à côté de Saint-Joseph. Brébeuf et le père Lalement sont faits prisonniers. Le seul survivant est Christophe Regnault. Sauvé par l'imprévisible logique indienne — une vieille femme l'a choisi comme esclave —, il a assisté à la fin du père Brébeuf. La voici : il reçut d'abord deux cents coups de bâton, mais on le soigna fort bien pour qu'il reprît vie. Puis on l'ébouillanta par dérision pour le baptême. Ensuite, on le scalpa, on lui attacha une ceinture d'écorce bourrée de poix qui brûla longtemps et, comme il priait à voix haute, on lui coupa les lèvres. On lui posa alors un collier de haches brûlantes. Après, on lui décharna les mollets et les cuisses, et on en mangea la chair devant lui à grands rires. Enfin, on lui arracha le cœur qui fut partagé entre les convives.

Les rares survivants hurons qui purent s'enfuir étaient ceux qui habitaient près des missions et, de ce fait, pouvaient être approximativement considérés comme chrétiens. Leur exode eut pour conséquence de répandre très accidentellement les prolégomènes de la foi à travers les tribus-refuges, y compris celles de l'Ouest qui n'avaient encore jamais vu un Européen.

Chomina : pour un peu de vin de messe

Le chef montagnais de la région de Tadoussac est

un grand ami de Champlain. Intelligent, courageux, il possède un sens aigu de la réalité, don exceptionnel chez les Indiens. C'est le temps des surnoms qui ont plus de valeur que les noms hérités. Champlain s'efforce de l'appeler « le cadet » à cause de ses belles manières françaises et du soin qu'il porte à sa tenue. Les colons, les soldats l'appellent volontiers « le Raisin », mais surtout « la Mer monte », en raison de son goût très marqué pour les boissons fortes. Chomina parle en outre admirablement le français.

Il se lie volontiers avec les prêtres dont il apprécie la conversation, mais il n'acceptera jamais de se convertir.

Il offre un de ses fils au père Le Caron. L'enfant est baptisé le 23 mars 1627 à Québec. La cérémonie donne lieu à une grande fête. Nous en connaissons quelques détails. Les 52 invités, dont plus du tiers d'indigènes, ont mangé : 56 oies sauvages, 30 canards, 20 sarcelles et « quantité d'aultres gibiés ». Chacun a apporté un présent, et « les messieurs de la traicte » ont offert 2 barils de pois, 1 baril de galette, 15 ou 20 livres de pruneaux, 6 corbillons de blé d'Inde qui furent mis avec tout le reste des viandes dans la grande chaudière à brasserie de la dame Hébert, la femme de Louis. Le baptisé fut appelé Louis. Quelques années plus tard, il retourna « ès forest », c'est-à-dire qu'il retrouva la vie des bois et les croyances de ses ancêtres.

Lorsque les Kirke s'emparent de Québec, Chomina et son frère sont les seuls indigènes à vouloir prendre les armes pour défendre les Français. C'est sur l'initiative de ce fastueux et sympathique ivrogne que les jeunes colons gagnent l'intérieur pour vivre le temps de l'occupation au sein des clans amis.

Joseph Chihouatenka, le vrai chrétien

Neveu d'un grand chef huron, Joseph est né vers 1600.

Il est baptisé avec toute sa famille en 1637. A cette époque, la moitié des Indiens habitant près d'une mission sont déjà morts d'épidémie. Les jésuites sont jugés responsables, avec quelque raison, sans qu'il y soit de leur faute. Choisir le parti des robes noires devient donc très risqué. Joseph demeure très ferme dans ses engagements, malgré la mort de plusieurs membres de sa famille dont sa belle-sœur, deux jours après son baptême.

Il vient à Québec en 1639. Il y apprend à lire et à écrire avec un égal succès. Chargé de saintes reliques, il repart en Huronie, où il est assassiné alors que seul il coupait du bois.

Les chefs de la nation font faire une enquête, puis déclarent officiellement que le « saint homme » a été tué par des rôdeurs iroquois. Dans la situation très tendue du moment, les jésuites acceptent l'explication. Il faudra longtemps pour que l'on comprenne que l'on parle toujours de rôdeurs pour annoncer que l'on s'est débarrassé d'un gêneur. Chihouatenka était sans doute l'un des rares Indiens authentiquement chrétien.

Étienne Pigarouich, le malin prêcheur

C'est un *chaman* algonkin. Quand, en 1639, il vient à Québec se faire baptiser, cet homme robuste a sans doute atteint une quarantaine d'années. Deux ans auparavant, il a brûlé tous ses « instruments » de sorcellerie avec un grand luxe de contrition. Son baptême est l'occasion d'une fête importante.

En fait, Étienne Pigarouich a tout de suite compris qu'il bénéficierait d'une grande considération auprès des Français s'il adoptait leur religion. Cela ne l'empêche pas de continuer ses « guérisons », ni de consulter les esprits dès qu'il est de retour en forêt.

Il pousse même l'humour assez loin. Un jour, à la suite d'une longue discussion théologique, il fait au père Le Jeune une démonstration de « la tente tremblante ». L'expérience est consignée dans les relations des jésuites. On a dressé une carcasse de tente haute de 2,25 m au moyen de perches retenues par des cerceaux de bois. On la recouvre de peaux et de couvertures liées par des courroies. Le sorcier entre dans la tente et invoque les génies en chantant. Bientôt, la tente se met à trembler. Bien que solidement bâtie, elle est secouée violemment malgré l'absence de vent. Elle plie parfois jusqu'à terre, découvrant ainsi le sorcier immobile et qui n'en mène pas large. La « tempête infernale » ne se calme qu'au bout de plus d'une heure. La relation ne publie aucun commentaire.

En 1643, Pigarouich est à Sillery. Il prêche ses frères avec une telle éloquence que les jésuites, éblouis, en font une nouvelle notation dans leur relation.

Quelques semaines plus tard, à Trois-Rivières, il a des ennuis avec ses compatriotes. Il gagne Québec où il s'empresse de reprendre son poste de *chaman*. Une fois ses clients satisfaits, il s'empresse de demander l'absolution. C'est la troisième fois en moins de deux ans.

Comme le père Brébeuf refuse, Étienne repart dans la forêt. Il y demeure un an et soudain apparaît à Montréal pour se confesser au père Buteux, qui écrit à son sujet : « Jamais je n'ay ouÿ sauvage ou Français mieux parler ny plus hardiment qu'il fit de l'Église en l'espace d'un quart d'heure. Sçavoir ce que il en fera, il n'appartient qu'à Dieu, comme il n'y a que luy qui sçache s'il est vrayment contrit. »

Le père Buteux avait vu juste. Pigarouich resta l'ami des coureurs des bois, mais demeura en forêt et ne reparut plus jamais dans les agglomérations françaises.

Jeanne Mance, la sainte de Montréal

Fille de la haute bourgeoisie de robe, elle est née à Langres en 1606. Très pieuse, elle adhère à une association de « dévotes », mot qui, à l'époque, n'a aucun caractère péjoratif, et devient garde-malade à l'hôpital de Langres. C'est là qu'elle apprend tout ce qu'il est possible de savoir à cette époque en matière de chirurgie et de médecine. Elle ne rêve que de mission évangélisatrice.

En 1641, elle quitte la France après avoir réuni des sommes très importantes pour la création d'un hôpital. Elle débarque le 8 août, et passe le premier hiver à Sillery en compagnie de Chomedey de Maisonneuve et de La Dauversière, fondateurs de la société pieuse qui va créer Montréal.

Elle est l'âme de Ville-Marie comme Marie Guyart est celle de Québec. Lors des innombrables attaques iroquoises, Jeanne Mance fait merveille pour soigner les blessés, souvent terriblement mutilés par les haches des assaillants.

Elle fait deux voyages en France pour y chercher de l'argent, des secours, des volontaires.

Elle meurt en 1673 alors qu'elle est en assez vive opposition avec les « gens du roi » qui paraissent ne pas comprendre certains aspects de ses trente-deux ans de dévouement et d'austérité à la cause de Montréal.

Catherine Gandeactena, chrétienne en dépit de tout

Cette Ériée, de la nation des Chats, naît en 1640. Enfant, elle est capturée par des Agniers chez qui elle demeure esclave jusqu'à l'âge de seize ans. On la marie alors à un Huron chrétien iroquois[1] nommé François-Xavier Tonsahoten.

Durant dix ans, elle suit son mari dans les expéditions de chasse et vient deux fois à Québec où elle rencontre des sœurs, probablement à l'occasion d'accouchements difficiles.

En 1667, elle se convertit, en dépit de l'opposition de son mari « chrétien ». Après un court catéchisme, l'évêque de Laval la baptise.

Pour elle, c'est un bouleversement. Catherine fonde une mission à Caughnawaga. On y prie et on y travaille dans une extraordinaire dévotion. Malgré la guerre et la misère traditionnelles, la mission prospère, étend son influence. A la mort de la jeune femme qui n'a que quarante-trois ans, 200 Indiens vivent et travaillent à la mission. Ils représentent 22 nations dont 2 clans iroquois.

---

1. Bien souvent, c'est encore plus compliqué, car il y a les adoptions qui peuvent avoir lieu toute la vie.

Kateri Tekakouita, la muse de Chateaubriand

Elle naît en 1656 d'une Algonkine chrétienne et d'un Agnier païen. En 1653, sa mère, élevée par des colons de Trois-Rivières, a été capturée et choisie par un Agnier après avoir été proposée préalablement pour être mangée. En 1660, elle est emportée avec son mari et son dernier-né par une épidémie de petite vérole. Son oncle, ennemi déclaré de la foi chrétienne et des Français, s'occupe alors de la petite Kateri.

Quand, en 1666, Prouville de Tracy brûle villages et réserves des Agniers, ceux-ci implorent la paix. Kateri est chargée de s'occuper des jésuites envoyés comme messagers. Leurs manières lui rappellent sans doute quelques souvenirs familiaux. Elle veut les suivre. Fureur de l'oncle. Elle refuse tout mariage jusqu'en 1676 où elle réussit à se faire baptiser par le père Jacques Lamberville. Cette conversion en plein pays soumis, mais non gagné, lui vaut des avatars sans nom. Persuadée qu'elle sera mangée aux fêtes du printemps, elle s'enfuit l'année suivante.

A la mission Saint-François-Xavier (Lachine), elle rencontre une autre Indienne, Anastasie Tegonhatsiongo, qui lui sert de guide spirituel. Après sa première communion, elle repart chez les siens qui se sont un peu calmés. Durant deux ans, elle participe à la vie de son clan, des pêches d'été aux grandes chasses hivernales. Puis elle rejoint la mission où elle offre le spectacle d'une dévotion et d'un dévouement à toute épreuve. Elle meurt en 1680. En 1688, Mgr de Saint-Vallier, second évêque du Canada, la déclare « sainte Geneviève du Canada » et vénérable. Aussitôt, sa tombe est l'objet d'un grand culte, de même que les objets qu'elle a touchés deviennent reliques.

Chateaubriand s'en est inspiré dans *Les Natchez*.

7/ *Sire, voici votre nouvelle province*

1648 : Paris se couvre de barricades. La Fronde des princes accapare Mazarin qui a des problèmes apparemment plus urgents que celui de la Nouvelle-France. De l'autre côté de l'Océan, les officiels, lassés des difficultés indigènes, passent à des exercices autrement passionnants.

1648 : Louis Ailleboust de Coulonge succède à Huant de Montnagny. C'est un montréaliste venu à Ville-Marie avec sa femme, sa belle-sœur et une quarantaine de colons. S'il a gagné sur le premier gouverneur qui n'aimait pas les gens de Montréal, il trouve une situation très dangereuse : les Iroquois ont plus de fusils qu'il n'y a d'hommes dans toute la Nouvelle-France.

Le nouveau gouverneur renforce le camp volant de Montréal. Les hommes de ce commando sont désormais 70.

L'année suivante, les cinq nations iroquoises tombent sur les Hurons qui commençaient à devenir nos alliés d'élection. C'est un massacre qui confine au génocide. En deux mois, il ne reste plus que quelques douzaines de pauvres diables absolument traumatisés. Ils étaient plus de 20 000. N'en déplaise à Voltaire qui naîtra dans quarante-cinq ans, il n'y aura jamais de « bon Huron » ni de mauvais non plus.

Ailleboust tente lui aussi une alliance avec la Nouvelle-Angleterre. Les résultats sont à peu près nuls.

Il est rappelé en 1651 et remplacé par Jean de Lauson. Le nouveau gouverneur s'y prend très bien pour se faire mal voir : il distribue à ses proches tous les postes, les magasins, les terrains abandonnés par la Communauté des Habitants. En 1653, Trois-Rivières manque de disparaître sous le choc de 500 Agniers.

Épuisés par leurs incessantes victoires, les Iroquois demandent la paix. Dans le même temps, grâce à l'inlassable travail diplomatique des coureurs de bois, les Outaouais rejoignent l'alliance laurentienne. Ils promettent de descendre à 2 000 pour porter des fourrures. Il y a trois ans que l'on ne voit plus un castor aux postes de traite. Toute la jeunesse du pays s'enfonce dans la forêt à leur rencontre. Les fourrures affluent, mais le gouverneur pense qu'il n'y gagne guère. En 1654, il institue le congé de traite qui, on s'en doute, ne s'obtient pas gratuitement. Dès 1656, les canots outaouais arrivent. Ils ont mis deux ans à tenir leur promesse.

En 1657, on procède aux élections populaires des conseillers de la Communauté. Ils sont élus par moins de 100 électeurs sur une population de 2 500 personnes. La Communauté des Habitants vient de signer son arrêt de mort.

Le gouverneur perd sa femme et décide aussitôt de se faire prêtre. D'Ailleboust reprend les rênes.

Sans doute lassés d'une paix de quatre ans, les Iroquois retrouvent le sentier de la guerre. Après quelques contretemps dus en grande partie aux hésitations de l'administration, un nouveau gouverneur est nommé : Voyer d'Argenson. D'Ailleboust devient directeur général de la traite.

A peine arrivé au Canada, Voyer d'Argenson réunit 160 hommes et attaque les Iroquois. C'est un homme de guerre. Il a trente-deux ans et va s'entourer de jeunes. Son offensive est menée tambour battant. Pour attaquer une île occupée par les Iroquois, on le voit sauter à l'eau jusqu'à la ceinture et porter le premier coup. C'est une attitude à laquelle on n'est plus habitué depuis Champlain. Le peuple canadien se prend d'amour pour le jeune gouverneur.

QUAND UN GOUVERNEUR RENCONTRE UN MONSEIGNEUR

En 1659, débarque le vicaire général : Mgr Laval. Il a trente-six ans. Dans son genre, c'est un autre d'Argenson, mais encore plus entêté que le gouverneur. Ces deux hommes remarquables vont se déchirer à belles dents.

Tout commence par la querelle des préséances au sujet de l'emplacement des bancs à l'église. Où placer ces deux seigneurs pour qu'ils ne se sentent pas blessés ? Ensuite, éclate un redoutable différend à propos de la cérémonie de l'encensement. Laval, bien sûr, déclare que l'évêque doit être encensé le premier et Voyer d'Argenson prétend que cet honneur revient au gouverneur. La dispute va si loin que l'on est obligé de suspendre les encensements.

Dès le mois de janvier 1660, la querelle reprend de plus belle, cette fois à propos du pain bénit. C'est au tour des soldats de l'offrir. Ils s'en acquitent fort bien, mais jugent bon de faire retentir flûtes et tambour à l'offrande. Colère homérique de l'évêque qui déclare être « choqué puissamment » par cette nouveauté. Inutile de préciser que d'Argenson affirme que cette nouveauté est de tradition et que Mgr l'évêque le sait pertinemment.

On se dispute ensuite âprement pour une histoire de marguilliers. Puis l'évêque, décidément en pleine forme, exige que les soldats le saluent un genou en terre et tête découverte, ce qui, à première vue, n'est peut-être pas tout à fait pratique pour un militaire sous les armes. Le temps est proche où sabre et goupillon vont en découdre comme les calfats. On craint le pire, mais l'évêque a le dessus. Voyer d'Argenson est reconduit en France...

Pierre du Bois d'Avengour le remplace. Cet officier assez brillant qui a servi sous Turenne est un homme simple, ennemi des cérémonies et des disputes. Il convient tout à fait à Mgr de Laval qui peut désormais donner, sans risque de concurrence, tout le lustre voulu à sa fonction épiscopale.

Cette guerre, dont l'intérêt n'échappe évidemment à personne, passe très au-dessus de la tête des Canadiens qui ont bien d'autres sujets de préoccupation. Les autorités étant fort sollicitées par ces jeux, il en résulte qu'on les laisse à peu près tranquilles, pour le bien dont ils profitent... comme pour le mal qu'il subissent.

Les « Cent-Associés », nous l'avons vu, ont passé la main à la « Communauté des Habitants », conséquence des « cadeaux » du gouverneur Jean de Lanson, cette nouvelle société se voit bientôt obligée de se démettre. A qui la confier ? En 1663, Colbert crée la « Compagnie des Indes occidentales » à qui il concède la Nouvelle-France en toute propriété. Ce n'est qu'un paravent, presque une société de liquidation, car Louis XIV se réserve le droit de nommer le gouverneur, l'intendant, les officiers du Conseil souverain, les juges, etc. En fait... la Nouvelle-France devient une province française. Il était temps.

Pendant ces années, le peuplement de la colonie s'est accéléré. En 1658, 177 personnes, dont 6 couples, ont débarqué. L'année suivante, 342 personnes dont 12 couples et 4 femmes qui sont venues rejoindre leurs maris. En 1662, malgré la recrudescence des attaques iroquoises, le Canada voit arriver 400 nouveaux colons. En 1665, la Nouvelle-France compte 4 500 habitants dont un bon tiers est né sur place. Les Anglais et les Hollandais sont alors près de 100 000, tandis qu'aux Antilles françaises il y a maintenant 15 000 colons.

Talon, ou de la belle ouvrage

Le rayonnement du Roi-Soleil se fait bientôt sentir. Dès 1665, arrivent l'intendant Talon et le régiment de Carignan-Sallières.

La fonction d'intendant est créée par Richelieu. Ils sont plutôt mal vus des gens de justice et des militaires parce qu'ils rendent trop présent le pouvoir royal, c'est-à-dire l'État. Talon, intendant de l'armée de Turenne, puis de la province du Hainaut, est envoyé au Canada par Colbert.

Il arrive à Québec alors que la France connaît enfin la paix. En 1665, tandis que le lieutenant général Prouville de Tracy fait construire trois forts sur le Richelieu pour servir de jalons sur le chemin des Iroquois, Talon s'ingénie à trouver le matériel d'hiver et le gîte nécessaire aux 1 300 militaires du régiment de Carignan-Sallières qui vient de débarquer.

Jean Talon est un peu comme l'enfer : pavé de bonnes intentions. Ne se met-il pas dans la tête de faire diminuer le nombre des procès entre Canadiens ? Il échoue, naturellement, car ces chamailleries sont, avec l'édification d'une famille nombreuse, les deux moyens connus de passer l'interminable hiver.

Durant ses deux règnes (1665-1668 et 1670-1672), 1 500 colons s'installent et 800 soldats et officiers du fameux régiment qui chargea les Iroquois éberlués, bannières au vent, fifres et tambours en tête comme à Rocroy (après le retour de leur unité sur le front des Flandres, ils referont la même chose).

Des « filles du roi » aux allocations familiales

Talon est là pour peupler la colonie. Il s'y emploie avec le sérieux que l'on devine et des pouvoirs jusqu'ici inconnus au Canada. La venue de plus de 2 000 hommes en pleine santé, c'est bien, mais cela pose aussitôt un grave problème de déséquilibre. Talon va donc inventer les « filles du roi », non pas des filles perdues ramassées dans les bouges comme se sont plu à écrire des chroniqueurs plus soucieux de faire rire que d'informer, mais au contraire des filles de famille, des ouvrières pauvres, des veuves, des orphelines triées qui devaient montrer patte blanche avant d'embarquer.

C'est par vaisseaux entiers qu'elles arrivent au Canada après une traversée souvent affreuse. Beaucoup se plaignent de voyager « pire que du bestail ». Sur place, elles sont logées dans les familles de colons. Là, elles sont recensées, classées « par nécessitez en quatre catégories, petis et grans, beaulx et laidz ».

Les futurs époux doivent prouver aux autorités qu'ils sont libres de famille et en position de « soutenir » une femme et les enfants qu'elle lui donnera. La taxe à payer est en rapport avec les quatre catégories citées plus haut, mais il ne s'agit pas d'un marché de femmes comme le soutiennent quelques historiens anglais. Les postulants sont nombreux, car les célibataires sont privés du droit de pêche et de chasse.

Talon va plus loin et taxe d'amendes progressives les parents qui ne marient pas leurs fils à vingt ans au plus et leurs filles à seize. Il invente aussi les allocations familiales, d'abord payées par le Conseil, puis, à partir d'avril 1679, par la caisse du roi. Au père de 10 enfants, 300 livres par an. A celui de 12, 400 livres. 400 livres également à la jeune mariée qui ne dépasse pas seize ans et 50 au jeune époux de moins de vingt ans. En outre, on prévoit des postes honorifiques qui seront réservés aux pères de famille nombreuse.

Si le grand intendant réussit assez bien dans la course aux épouses et le développement des familles, il se heurte à des difficultés inattendues dans la course aux maris. Déjà, il y avait une sérieuse concurrence entre les belles de Montréal et celles de Québec à propos des partis intéressants. Mais, lorsque beaucoup de jeunes Canadiennes se voient éclipsées par les filles du roi qui ont souvent converti leur pécule en trousseaux « à la mode », c'est un tollé. Talon confesse qu'il a plusieurs fois souhaité « croiser des Iroquois plus tôt que ces escouades de donzelles avec les mères pour sergents ».

Il en résulte de nombreux procès pour rupture de promesse de mariage. L'intendant n'en souffle mot dans ses rapports...

Colbert : « Comptez vos gens. »

A la demande de Colbert, il fait procéder au recensement de la population. En 1666, on compte :

4 armuriers, 7 arquebusiers, 16 gentilhommes, 11 boulangers, 7 bouchers, 1 fabricant de boutons, 1 brasseur, 1 briquetier, 7 chapeliers, 2 charrons, 5 chirurgiens, 36 charpentiers, 1 charbonnier, 3 chaudronniers, 3 fabricants de chandelles, 6 cordiers, 20 cordonniers, 8 corroyeurs, 4 cloutiers, 1 coutelier, 1 couvreur, 4 drapiers, 1 ferblantier, 1 fondeur, 1 aiguiseur d'épées, 4 baillys, 1 imprimeur, 3 instituteurs, 3 jardiniers, 32 maçons, 1 capitaine de navire, 18 marchands, 27 menuisiers, 9 meuniers, 32 matelots, 3 notaires, 1 bijoutier, 5 confiseurs, 1 manchonnier, 1 sabotier, 1 tailleur de pierre, 3 selliers, 3 serruriers, 14 taillandiers, 30 tailleurs, 3 tisserands de tapis, 6 tonneliers, 1 tourneur, 401 domestiques, c'est-à-dire les ouvriers de ces artisans, soit 755 artisans « avoués » auxquels il faut ajouter « environ » 3 800 habitants voués à la culture.

Il n'est nulle part fait mention du nombre croissant des coureurs des bois. En 1671, Talon exulte. Il écrit à Colbert qu'il « a eu » 700 naissances, mais il ajoute cette fois qu'il ne comprend pas pourquoi tant de jeunes gens abandonnent les maisons pour vivre à l'indienne, « faisans le véritables mestier de bandis ». C'est au moment où, sur ordre de Colbert, il pousse la francisation des Indiens, favorise au maximum les mariages entre eux et les Français, aide leur installation à la culture, que les Françait s'indianisent davantage.

C'est à partir de 1670 que le métier d'interprète perd de son utilité. On compte les Indiens parlant français par milliers et par centaines les Français capables de discourir en plusieurs langues indiennes. A ce propos, Marie de l'Incarnation précise « qu'un François devient plus facilement sauvaige, qu'un sauvaige François ». Les Français de Nouvelle-France sont de plus en plus « gens de Canada ». Dans l'administration, personne ne le comprend vraiment.

Talon crée aussi des industries : brasseries, chantiers navals. Sous son autorité, l'élevage se développe. A partir de 1670, on n'importe plus ni lard ni blé pour les Indiens et les chevaux sont assez nombreux pour que l'on en fasse un important commerce local.

Après Jean-Paul Godefroy, si en avance sur son temps qu'on pouvait le qualifier de visionnaire, Talon réinvente ainsi le commerce triangulaire, Canada-Antilles-France. Le Canada livre aux Antilles du bois imputrescible, du poisson, des pois, de l'huile de phoque; les Antilles livrent, en échange, du sucre qui arrive en France d'où partent pour la Nouvelle-France colons, outils, armes et vêtements.

Devant la ruée formidable et anarchique des coureurs des bois, Talon n'a pas à « forcer l'exploration », comme le lui spécifie Colbert. Il se contente de la canaliser au mieux. En quelques années, les résultats sont écrasants.

Il est rappelé en pleine gloire en 1672, car il est, comme son maître et ami Colbert, quelque peu anticlérical.

Lorsqu'il quitte le Canada, 350 ouvriers travaillent dans ses ateliers. Ils disparaîtront peu à peu. En 1675, il ne restera qu'un moulin-scie en activité. Cependant, l'élan est donné. Après Talon, le Canada devient une nation dont les effectifs ont doublé en moins de dix ans.

CARABINES CONTRE TOMAHAWKS

Cependant, la guerre iroquoise fait rage. Dans cette guerre, pas de généraux, rien que des héros. Canadiens et Indiens, voici l'histoire de quelques-uns.

Adam Dollard des Ormeaux : jusqu'au bout !

En France, où il était soldat, il avait probablement un petit commandement. Il arrive à Montréal comme volontaire à l'âge de vingt-trois ans. Tout de suite, il est bien noté, ce qui ne devait pas être facile dans la très pieuse ambiance de la Société Notre-Dame. Il découvre la guerre indienne qui reprend chaque été. C'est pour lui, comme pour tous les autres militaires, un combat nouveau, marginal, et tout à fait en dehors des règles pratiquées en Europe. Il apprend vite et réagit avec tant de cœur qu'il est nommé commandant de la garnison du fort de Ville-Marie, titre qu'il partage avec Pierre Picoté de Belestre. On sait qu'il est témoin de deux mariages et invité comme parrain à plusieurs baptêmes.

En avril 1660, Dollard des Ormeaux imagine de rendre coups pour coups et obtient l'autorisation de lier partie avec 16 autres jeunes Français et 4 Algonkins pour former un parti de guerre. Aujourd'hui, nous dirions un commando.

Il veut aller s'embusquer sur le chemin des Iroquois au retour de la chasse, alors qu'ils sont encombrés de pelleteries et à bout de munitions. Le groupe part le 20 avril. Encore peu habile au canotage, il est arrêté huit jours au bout de l'île de Montréal par les glaces et n'arrive au Long Sault que le 1er mai. Les compagnons ne se déplacent que la nuit pour conserver l'effet de surprise. Une quarantaine de Hurons, partis dans le même but, se joignent à eux. Ils découvrent un vieux fort algonkin où ils s'installent pour établir un camp de base. Le lendemain, quelques Iroquois s'approchent et fuient immédiatement.

Dollard des Ormeaux décide de faire réparer le fort. Les travaux sont à peine commencés que plusieurs centaines d'Onontagués surgissent en canot. C'est la panique. Les alliés se précipitent à l'abri du fort. On échange quelques coups de feu et un chef iroquois s'approche pour savoir « qui estoit dans le fort et pourquoi ». On va sans doute décider une trêve, mais les Onontagués débarquent et se hâtent de construire quelques palissades. Ils attaquent presque aussitôt. Ils sont repoussés. Un Huron sort du retranchement et coupe la tête d'un capitaine iroquois qu'il érige au bout d'une perche. Fureur des ennemis qui attaquent de nouveau en entourant le fort. Repoussés une nouvelle fois avec des pertes sensibles, les Iroquois se replient, peu soucieux de se faire tuer en vain. Ils vont envoyer un canot chercher les 500 autres guerriers qui les attendaient aux îles Richelieu...

Sans s'en douter le moins du monde, Dollard des Ormeaux et ses compagnons sont tombés non pas sur des chasseurs plus ou moins désarmés, mais sur l'armée iroquoise équipée à neuf qui s'apprête à envahir la colonie tout entière.

Il faut sept jours aux renforts pour arriver. Une semaine de siège pénible et de combats féroces toutes les nuits pour permettre aux assiégés d'aller chercher un peu d'eau jusqu'à la rivière. Hurons et Algonkins tiennent absolument à répondre à chaque coup de fusil. Cette heureuse façon de ne pas perdre la face fait dangereusement baisser les munitions.

Quand l'armée est au complet, les Iroquois tentent un accommodement. Une trentaine de Hurons sautent le parapet et se rendent. Les Iroquois s'avancent. On saura plus tard que c'est encore pour négocier, mais les Français qui se voient déjà dans les marmites tirent et font beaucoup de mal. Fous de rage, les Indiens se lancent à l'assaut. Ils se font hacher, mais avancent peu à peu, à l'abri de leurs boucliers de rondins. Ils sont dans le fossé quand Dollard fait bourrer de poudre deux canons de pistolets avec une mèche pour s'en servir de grenade. Cela fait grand bruit, mais peu de mal. Dollard veut alors recommencer, mais cette fois avec un tonnelet de poudre; celui-ci retombe dans le fort. On imagine le résultat. Les Iroquois s'emparent des meurtrières et tirent sur tout ce qui bouge.

Un Français « voiant que tout estoit perdu et s'estant aperçu que plusieurs de ses compagnons blessez vivoient encore les acheva rapidement à coups d'hache por les délivrez des tortures qui alloient suivre ». Les Iroquois s'emparent de cinq Français et de quatre Hurons. Un Français fut torturé tout de suite et mangé sur place devant les autres. Les quatre suivants furent partagés entre les clans et subirent un sort identique quelques jours plus tard.

Troublés dans leurs projets et sans doute inquiétés par quelques rêves contradictoires, les Iroquois abandonnent leur projet d'assaut contre la colonie. On ne sait pas au juste combien ils perdent d'hommes dans cette affaire. Les Agniers parlent de vingt morts dans leur clan. Il faut sans doute ajouter les pertes des Onneiouts et des Onontagués, les plus nombreux.

Le sacrifice involontaire de Dollard des Ormeaux et de ses compagnons sauve certainement Montréal d'un assaut peut-être fatal et fait remonter le moral très bas de toute la Nouvelle-France. Malgré de redoutables efforts, les Iroquois ne retrouveront jamais une conjoncture aussi favorable.

Jacques Godefroy de Vieuxpont : une vie trop courte

Nous avons déjà vu cet homme qui est l'un des tout premiers Canadiens, né à Trois-Rivières le 6 mars 1641. Compagnon de Champlain, son père est de ceux qui demeurèrent en forêt en compagnie des Indiens durant l'occupation anglaise de 1629 à 1633.

A vingt ans, Jacques Godefroy s'occupe de la traite. C'est déjà un coureur des bois qui compte trois campagnes.

Au printemps 1661, il part de nouveau pour « aller à la traicte » en compagnie d'un Français anonyme et de 30 compagnons attikamègues. Le second jour, ils sont surpris par 80 Iroquois. La bataille « à l'indienne » dure deux jours — deux jours de ruses, de patience et de brusque fureur. Jacques Godefroy, son compagnon et 29 Attikamègues sont tués. 24 Iroquois sont retrouvés morts par les secours alertés par le survivant.

Claude Brigeac, le grenadier dévoré

Lorsque, à l'âge de vingt-huit ans, Claude Brigeac arrive à Montréal pour « faire une nouvelle vie », il se déclare grenadier, c'est-à-dire soldat d'élite et gentil-homme. Nous sommes en 1659. Chomedey de Maisonneuve l'engage comme soldat dans la garnison et l'attache à sa personne comme secrétaire, car il a une « jolie plume ».

En octobre 1661, il est désigné pour protéger l'abbé Vignal et une douzaine d'hommes de corvée qui vont chercher des pierres dans une île voisine de Sainte-Hélène.

A peine débarquée, la troupe est surprise par trente-cinq Iroquois qui surgissent des buissons à quelques pas. Brigeac fait front, tue le chef ennemi, mais finit par plier sous le nombre. Il est capturé en compagnie de deux ouvriers, René Cuillerier et Dufresne. L'abbé Vignal est mort.

Dufresne est donné aux Agniers qui le gardent plusieurs mois en esclavage avant de le revendre aux Français. Cuillerier est aussi esclave, mais sera bien-tôt adopté. Brigeac est torturé durant deux horribles journées devant ses compagnons, puis il est mangé.

Le Bâtard flamand ou la diplomatie à l'indienne

Redoutable chef agnier, né d'une mère agnier et

d'un père hollandais, vraisemblablement appelé Smits Jan. En 1650, il est déjà chef important et fait parler de lui en attaquant Trois-Rivières avec une trentaine de guerriers. Il est français puisque déclaré chrétien.

En février 1654, il apporte à Québec des lettres du Fort Orange (Albany, dans l'État de New York).

En juillet, il vient livrer deux otages français et en profite pour se plaindre du jésuite Simon Le Moyne qui a jugé bon de s'installer chez les Onontagués plutôt que dans son peuple. Il quitte Québec de fort méchante humeur.

Le 30 août 1656, il attaque une mission surtout composée de Hurons et d'Outaouais au lac des Deux-Montagnes. Dans la bataille, le père Léonard Garreau reçoit une balle dans la colonne vertébrale. Le 2 septembre, « le Bâtard flamand » rapporte lui-même le corps du prêtre à Québec, en assurant qu'il a été tué par des déserteurs français. Il disparaît avant que l'on ne puisse établir la vérité.

Un mois plus tard, accompagné de quarante guerriers, sans doute les mêmes qui ont attaqué la mission du père Garreau, il ravage la pointe Sainte-Croix (aujourd'hui Point Platon, État de New York.) En 1658, il est *personna grata* en Nouvelle-Angleterre où il se pavane à Corlaer (Schenectady, État de New York).

Le 24 juillet 1666, trois cents hommes du régiment de Carignan-Sallières s'avancent en pays agnier pour venger la mort de deux de leurs officiers tués dans une embuscade et de l'enlèvement de quatre Français. Le Bâtard flamand surgit théâtralement à la tête d'une ambassade qui ramène les prisonniers, « honteusement capturés ». M. de Saurel, capitaine de l'expédition, se laisse complètement abuser, abandonne les poursuites et comble les Iroquois de cadeaux.

Le 8 juillet 1668, le Bâtard flamand est de ceux qui contresignent la paix établie entre les Français et les Iroquois. L'année suivante, il apporte à Québec les lettres du premier gouverneur anglais de New York (ex-New Amsterdam) : le colonel Richard Nicolls. Il se fâche àlors avec les Anglais et rejoint le camp français.

Il participera très courageusement à la grande opération de Brisay de Denouville en 1687 et se fera tuer à Michillimakinac.

Otreouti, dit « la Grande Gueule »

Chef iroquois de la nation des Onontagués, cet homme grand, « très bien membré », est l'orateur le plus réputé de son temps, qualité hautement prisée des Indiens aussi bien que des Français.

Le 28 avril 1659, « la grande Gueule » est à Montréal pour établir des négociations de paix. Le soir, il s'enivre abominablement avec quelques compagnons et casse tout dans l'auberge où il loge. On l'enferme pour la nuit, mais les « plénipotentiaires » arrachent les barreaux de la prison et s'échappent.

Durant l'été 1661, tandis que le père Simon Le Moyne négocie la paix au pays des Onontagués, la Grande Gueule attaque Montréal pour se venger de son emprisonnement. Il surprend le sulpicien Jacques Le Maistre et quelques colons, Le combat est court. Le Maistre, un Français et deux Iroquois sont tués. Les colons regagnent l'abri de la ville.

La Grande Gueule décapite le prêtre, scalpe son compagnon et enfile la soutane avec laquelle il va se pavaner tout le reste de la journée hors de portée de fusil.

Quatre ans plus tard, il est parmi les ambassadeurs qui signent le traité du 13 décembre 1665 à Québec entre les Français, les Goyogouins, les Onontagués, les Tsonnontouans et les Onneiouts.

Après le départ de Talon, la Grande Gueule poursuit sa destinée, tantôt guerrier redoutable (il est certain qu'il a torturé et mangé plus de vingt ennemis, Français et Indiens), tantôt plénipotentiaire rusé, jusqu'en 1684 où il se rapproche brusquement des Français par une haine subite des Anglais. En fait, il craint fort leurs représailles à la suite du pillage d'un poste et de l'assassinat du *facteur* et de sa famille.

Sa nouvelle inclination le pousse à promettre tout : alliance, fourrures, guerriers. Il ne tient évidemment aucune de ses paroles, se contentant de se gaver avec sa petite cour aux repas offerts par les Français.

Il abusera complètement Brisay de Denonville, qui en trace un portrait flatteur et le considère comme un ami.

La Grande Gueule vient à nouveau à Montréal signer la paix le 15 juin 1688. En octobre de la même année, il est accusé de meurtre. Cette fois, il n'est plus question de pardon, les gens de Montréal sont exaspérés. La Grande Gueule disparaît dans les bois. On n'entendra plus parler de lui.

C'est de ce personnage pour le moins haut en couleur que La Hontan s'est inspiré pour camper très idéalement son « bon sauvage » Grangula dans son livre : *Voyages de l'Amérique septentrionale*.

Pierre Boucher ou quatre-vingt-deux ans de stratégie

Né à Mortagne, dans le Perche, en 1622, Pierre

Boucher est le plus grand témoin de l'histoire de la Nouvelle-France. Il vit vingt ans sous Louis XIII, soixante-treize ans sous Louis XIV et deux ans sous Louis XV. Il demeure quatre-vingt-deux ans au Canada.

Il est assez gravement blessé aux côtés du père Brébeuf lors de la première grande guerre iroquoise.

A vingt-six ans, en 1648, il épouse une Huronne, élève des ursulines de Québec, Marie Ouebadinskoué, qui meurt en couches. Son enfant ne lui survit pas.

En 1652, il épouse Jeanne Crevier dont il a quinze enfants. Il habite Trois-Rivières où il est nommé « chef de guerre aux ennemics ». Il décide les habitants à se rassembler, créer une espèce de bourg fortifié plus facile à défendre que des habitations dispersées Chaque habitant est obligé d'apprendre à se servir convenablement de ses armes et de participer à l'édification et l'entretien des remparts.

La fermeté de la défense de Pierre Boucher finit par coûter cher aux Iroquois qui en arrivent à demander la paix et rendre les prisonniers qui n'ont pas été dévorés.

Nommé gouverneur de Trois-Rivières, il va plaider le dossier de la Nouvelle-France auprès de Colbert et de Louis XIV. C'est grâce à son intervention que l'on voit arriver Talon et le régiment de Carignan-Sallières.

A quarante-cinq ans, il est, dit-il, lassé de ses concitoyens et de leur procès, qui de surcroît trafiquent sans vergogne l'eau-de-vie avec les Indiens, causant des ravages irréparables.

Il se retire dans sa seigneurie de Boucherville où il crée une sorte de phalanstère théocratique, un modèle d'équilibre et de raison. Il meurt à Boucherville en 1717, à quatre-vingt-quinze ans. De sa nombreuse famille, sont issus les Boucherville, La Bruère, La Perrière, les Montizambert, Montarville, Montbrun, Grobois, Grandpré. Les Montbrun gagneront l'Illinois, d'autres l'île Maurice, les Antilles, la Louisiane et même la France.

Charles Le Moyne, un ancêtre, un soldat, un milliardaire

Les Le Moyne sont aubergistes à Dieppe. Charles, qui naît en 1626, devient très vite un garçon robuste et hautement fantaisiste qui paraît avoir peu de goût pour le commerce familial. Or le frère de Mme Le Moyne, Adrien du Chène, est depuis quelques années chirurgien en Nouvelle-France. Après une nouvelle frasque du pétulant héritier, qui justifie l'intervention du guet de la ville, on décide de l'envoyer chez l'oncle, à la colonie, « en attendant que cela lui passe ».

Charles Le Moyne, fort comme un homme de trente ans, débarque à Québec pour ses quinze ans. Grâce à l'influence de l'oncle, il est engagé chez les jésuites et va passer quatre ans en Huronie. L'aventure a enfin les dimensions de son rêve. Il s'assagit aussitôt et se met docilement à l'étude des langues locales.

En 1645, il est interprète qualifié et sert à Trois-Rivières comme commis, interprète et soldat. C'est là, en compagnie de coureurs des bois chevronnés, dont Nicolas Marsolet, et de quelques trappeurs algonkins en renom qu'il « apprend le mestier de guerre lequel lui convient tout à faict ». L'année suivante, il va s'installer à Montréal. Il y demeure jusqu'à son dernier jour.

Ses dons de soldat en font bientôt un expert en guerres indiennes où il se montre aussi fort et rusé que ses ennemis. A vingt ans, il capture ses premiers Iroquois. Deux ans plus tard, il s'assure de tout un parti de guerre à la suite d'une embuscade de toute une semaine et échange ses captifs contre des prisonniers français.

Au printemps 1651, il a vingt-cinq ans. En compagnie de Jacques Archambot, Jean Chicot et quelques autres colons dont les noms ne nous sont pas parvenus, il travaille à dessoucher le domaine de l'un d'eux lorsque plus de 100 Iroquois surgissent avec leur promptitude habituelle. Après les premiers coups de feu, on s'explique à la hache, à la barre à mine, *tomahawk* contre bêche.

C'est un combat féroce, à l'antique, qui dure plus d'une heure. Les Iroquois, comprenant qu'ils ont manqué l'effet de surprise, se replient tout aussi soudainement. Ils laissent sur le terrain une quinzaine des leurs, tués, ou trop blessés pour les suivre. 3 colons sont morts. Jean Chicot s'en tire, scalpé. Il est le premier Français à vivre le bonnet vissé sur le crâne, le premier à être autorisé à garder sa « tuque » en toutes circonstances, même à l'église. Il y en aura d'autres...

Le 18 juin suivant, les Iroquois tentent une opération sur les premières maisons de Ville-Marie. Charles Le Moyne, seul à s'en apercevoir, contre-attaque à la grenade d'abord, au couteau ensuite. Les Iroquois s'enfuient. Il est nommé garde-magasin du fort, un poste de haute confiance à cette époque. En 1654, il épouse Catherine Thierry et reçoit 90 arpents à la pointe Saint-Charles.

En juillet 1655, avec son ami Lambert-Closse et 3 Hurons, ils capturent 6 Iroquois dont un chef réputé.

En 1657, désigné pour un nouvel échange de prisonniers, il y réussit avec tant de succès qu'il amorce des pourparlers de paix avec les pires ennemis de la colonie. Mais les Anglais veillent à ruiner ses projets en armant de nouveaux clans.

En 1660, il s'en faut d'un rien pour qu'il accompagne Dollard des Ormeaux. Charles Le Moyne désire seulement faire ses semailles avant le départ. Dollard, trop pressé, part sans lui. L'année suivante, 160 Iroquois grêlent sur les colons au travail. Le Moyne pose sa houe, prend son fusil. Il n'a pas le temps de recharger avant le corps à corps et va être fait prisonnier lorsque Mme Celles-Duclos, qui a tout vu de sa maison, lui apporte au milieu de la mêlée une brassée d'armes chargées. Le Moyne se dégage, tire à coup sûr. La voisine recharge avec un sang-froid parfait, repoussant même un sauvage du pied. Le Moyne reprend l'avantage, charge seul un fusil dans chaque main. Les Iroquois sont déjà en fuite « à l'indienne » quand arrivent les miliciens.

Fait prisonnier en 1665, Le Moyne est libéré grâce à Garakontié, le chef des Onontagués, à qui il paraît avoir rendu le même service quelques années auparavant.

Alors commence pour lui le temps de la fortune, entre les expéditions chez les Agniers, sur l'Ontario, et les Tsonontouans.

En 1657, la famille de Lauson lui octroie un fief, suivant les usages du Vexin français : 5 000 arpents près de la seigneurie de la Citière. En 1665, s'ajoutent les concessions de l'île Ronde et de l'île Sainte-Hélène. En 1668, il reçoit des lettres de noblesse, mais oublie de les faire enregistrer dans le temps voulu.

Il part avec Rémy de Courcelles en pays iroquois,

puis avec Prouville de Tracy au fort Sainte-Anne, sur le lac Champlain. Il continue la guerre et sa fortune avec le même bonheur.

En 1682, il devient l'un des actionnaires de la Compagnie du Nord, fondée, nous le verrons, avec Radisson et Des Groseillers. Deux ans plus tard, il sauve *in extremis* l'expédition de La Barre contre les Iroquois et amène ceux-ci à négocier la paix.

L'année suivante, Charles Le Moyne, à présent « de » Longueil et de Châteauguay par la grâce du gouverneur de Frontenac, s'éteint à Montréal. Il est le plus gros propriétaire terrien de la colonie. Il a deux filles et dix garçons qui s'illustreront tous en combattant pour le Canada.

8/ *Dix mille romans d'aventures*

Saint-Laurent, Outaouais, Saint-Charles, Riche-lieu, Mississipi, Ohio, Missouri : les Français ne peuvent pénétrer le continent qu'à la façon des Indiens, en suivant les cours d'eau. La vie entière de la Nouvelle-France se passe en barque et en canot et pendant longtemps les labours font figure d'incur-sion furtive, toujours en vue de l'eau. Sauf quelques explorateurs, tous les voyageurs de l'épopée — ils sont légion — ne quittent fleuves et lacs que l'hiver, et encore à ce moment-là vont-ils « à neige », pas à terre. Les portages entre deux rives vont toujours au plus court et la chasse se pratique le plus souvent aux abreuvoirs naturels. La plus commune de toutes, celle du castor, se fait « à tremper les aisselles ».

Canadiens de naissance ou colons de fraîche date arrivent à se ressembler très vite. Du vieux pays, ils ont tous gardé le goût des chicanes. L'hiver, quand l'habitant n'est pas en course, il fait à ses voisins des procès « à tout bout de champ ». Le notaire et le juge sont des personnages aussi importants que le prêtre.

Le médecin, la sage-femme viennent loin derrière. Cette manie du recours en justice au moindre froncement de sourcil est une bénédiction pour les chercheurs actuels qui disposent de monceaux de minutes de jugements pour se faire une claire idée de la vie de tous les jours.

Le « rang canadien » découpe le pays en tranches très étroites et très longues ayant toutes accès au fleuve ou à la rivière, le seul moyen de communication. Il s'étend progressivement et, d'une certaine façon, ferme les rives aux indigènes.

Ceux-ci ne comprennent pas le système du bornage, de l'arpentage, du titre de propriété, de l'héritage et de la vente d'un domaine, d'un lopin. Qu'un morceau de lande ou de forêt où ils ont toujours couru puisse devenir une valeur marchande leur échappe totalement. Ils en ont pourtant l'exemple constant devant les yeux.

En Nouvelle-France, lorsque quelque impécunieux désire de l'argent liquide pour se livrer à la traite ou pour monter une affaire ou une exploration, il s'arrange pour se faire octroyer, confirmer, une concession par un seigneur propriétaire, par un organisme religieux ou laïc (la société fermière), et ensuite vend cette terre à un propriétaire voisin que cela arrange : l'opération est tout à fait légale.

En voyant l'or qui provient de la vente, les Indiens croiront toujours à une opération magique, réaction d'autant plus curieuse que beaucoup d'entre eux ont un certain sens du commerce ou plutôt du trafic, et qu'ils s'y montrent très retors.

Quand, avec l'intendant Talon, fonctionnaires et officiers royaux débarquent à Québec en 1665, il n'y a pratiquement plus d'Indiens purs dans le bassin du Saint-Laurent. Ils sont pourtant encore largement majoritaires. Tous les indigènes de souche amérindienne ont été exterminés par les épidémies apportées fort inconsciemment par les colons et surtout par les missionnaires et leurs aides européens, car ils se sont avancés et fixés plus loin que les autres en pays vierges.

C'est donc la volonté de fraternité qui tue les alliés des Français. Les Iroquois, tenus à distance par le mépris des Anglais qui restent dans leurs comptoirs, seront moins touchés par la maladie.

Quand il y a épidémie, les Français qui en souffrent aussi y voient une épreuve envoyée par le ciel. Les Indiens, eux, pensent à une « sorcellerie des robes noires ». Alors, ils en tuent et en dévorent rituellement quelques-unes, mais la maladie reprend toute seule et les pères sont, il est vrai, d'un inlassable dévouement. La volonté du ciel s'impose à tous.

Ceux qui résistent sont les sangs-mêlés. Une petite goutte de sang européen permet sans doute une sorte de vaccination naturelle. Ainsi, insensiblement, les populations indiennes se modifient.

Personne ne s'en rend compte, d'autant que les métis sont encore plus « sauvaiges » que les autres. Ils deviennent de super-Indiens, plus fins, plus malins, mais follement attachés à leurs forêts et à leur vie libre dès lors qu'elle paraît vouloir disparaître ou, du moins, se réduire. La plus grande part des Indiens étant citoyens français, il n'y a pas de problème racial. On appelle les métis des « bois-brûlés ». Tout est dit. Cela n'a rien de péjoratif.

En 1665, il y plus de cent cinquante ans que

chaque année les capitaines de morutiers marquent sur leur livre de bord le nom ou le surnom des marins « disparus ès sauvaiges ». Il y a cent trente ans que l'on connaît ceux des déserteurs de Cartier. Depuis, il n'y a pas d'année sans disparition. La vie sauvage a des attraits certains pour des hommes qui ont déjà choisi l'aventure. Bientôt, Talon confiera à Colbert qu'il lui manque beaucoup de monde par rapport au recensement qu'il fait effectuer à sa demande et qu'il ne sait pas « où ces gens-là sont passés ».

Malgré son génie et sa large compréhension des choses, le courtisan raffiné qu'il est ne peut s'attarder à cette réalité qui frise la pensée honteuse.

Pendant toutes ces années, les déserteurs, bons ou mauvais, criminels en fuite ou héros de roman, se marient à l'indienne et font des enfants avec la générosité de leur fougue aventureuse. Pour les indigènes, c'est presque toujours un honneur et, comme ces enfants sont encore plus indiens que nature, ils y voient un assentiment du Grand Esprit.

Les sauvages emplumés qui se pressent sur les quais de Québec pour voir débarquer l'appareil administratif de Louis XIV ont à peu près tous un ancêtre bordelais, angevin, saintongeais, normand, parisien ou lorrain. Sous leurs peintures, comment s'en apercevoir ?

Ces Indiens sont totalement dépendants des industries .françaises ou anglaises : super-chasseurs ou guerriers, rien d'autre ou presque. Sortis des problèmes directs de leur clan ou de leur nation, pour la plupart ils comprennent les événements dont ils sont témoins et bien souvent acteurs, à la façon des tirailleurs annamites durant la guerre de 1914.

Tout comme la crosse de l'évêque est un symbole de l'antique houlette du berger, l'arc et le carquois ne sont plus portés que dans les cérémonies, dans les interminables « tabagies », ces conférences de paix si longues que l'on pourrait presque dire qu'elles sont la paix elle-même. Puisque les contractants sitôt revenus en forêt retrouvent un sujet de querelle.

Malgré le petit nombre de ses habitants, la Nouvelle-France est enfin parfaitement viable. Ce n'est pas encore une nation, mais déjà un peuple qui devient très vite adulte. Alors, tout naturellement, arrive le temps de parler des êtres exceptionnels qui tissent son histoire.

Olivier Le Jeune, Othello du pays de la glace

C'est le premier Noir, sans doute, à être entré dans le Saint-Laurent. Les frères Kirke le vendirent cinquante écus à Le Baillif, un commis français passé au service des Anglais. Le Baillif en fit aussitôt cadeau à Guillaume Couillard. Le jeune garçon, cité comme domestique, fut baptisé le 14 mai 1633.

On ne sait pas exactement s'il était malgache ou guinéen. A une époque où il était internationalement admis que tout Noir qui n'avait pas en sa possession un brevet d'affranchissement dûment enregistré était esclave, jamais le bon Guillaume n'eut l'idée d'appliquer ce féroce règlement, pas plus que d'affranchir Olivier. Il l'adopta tout simplement, comme il avait adopté Espérance et Charité, les deux jeunes Indiennes que Champlain n'avait pu emmener à son départ de Québec.

En 1638, Olivier Le Jeune fut condamné à « vingt-quatre heures de chaînes » pour avoir calomnié Marsolet. Il signa ses « aveux » d'une croix. On sait qu'il était « franc-serviteur », accompagnait souvent son patron Guillaume Couillard dans ses voyages en barque et qu'il avait grand-peur et détestation des Iroquois. Il a certainement eu une descendance dans un clan montagnais des environs de Tadoussac. Il est mort le 10 mai 1654.

Bonatteniate, dit « le Berger »

Ce très grand chasseur est sans doute le seul Agnier qui soit profondément ami des Français. Né en 1613, il est tour à tour otage, allié, prisonnier volontaire, ambassadeur. Continuellement ballotté entre la haine des siens pour tout ce qui est barbu et l'amitié qu'il a nouée avec quelques coureurs des bois, il se sent toujours menacé de représailles par ceux de sa tribu... Il est envoyé en France où il meurt de fièvres à Paris, en 1650.

Florent Bonnemère, un fameux médecin bordelais

Né à Bordeaux en 1600, il entre très jeune chez les jésuites. Il arrive à Québec en 1630. Passionné de sciences, c'est un apothicaire et un chirurgien dont l'habileté fait merveille dans le tout petit peuple du début. Il est en effet seul de son état.

Lorsque la colonie commence à prendre un peu d'ampleur, en 1650, sa réputation est à son apogée. Il reçoit alors de ses supérieurs une très sévère mise en garde « d'avoir, sans plus tarder, à retrancher de son activité le soin du sexe féminin ». Il y a vingt ans qu'il opère Françaises et Indiennes.

Tout porte à croire que le bon père n'apprécie guère ce genre de décision. Il « se retire des Français » et devient le plus actif et le plus célèbre médecin des Indiens vivant autour de Québec où il meurt en 1683. Son nom y est encore vénéré.

Marie Guyart, dite « Marie de l'Incarnation »

Tourangelle née le 28 octobre 1599, son père est boulanger. Très tôt, elle manifeste beaucoup de goût pour la vie religieuse, mais, comme elle est de nature vive et gaie, on ne croit guère à sa vocation. On la marie à un ouvrier soyeux, Claude Martin, qui meurt deux ans plus tard en lui laissant pour héritage un bébé de six mois. Très douée pour le commerce, elle trouve alors refuge chez sa sœur, mariée à Paul Buisson, marchand voiturier, quelque chose comme un entrepreneur de transport. Elle gère tout et règne bientôt sur les trente rouliers de son beau-frère. Miracle, ils n'osent plus jurer devant elle. Ce n'est qu'un passage.

A trente-quatre ans, elle prononce ses vœux chez les ursulines. Son fils, Claude, fait ses études chez les jésuites de Rennes. Elle veut partir en mission et finit par obtenir l'autorisation après bien des efforts, car elle est jugée de constitution trop faible. Elle débarque à Québec le 1er août 1639 en compagnie de Mme de La Peltrie, de sœur Marie Saint-Joseph et de la mère Cécile de Sainte-Croix. En chemin, leur navire a été frôlé par un iceberg qui a râpé un flanc de l'embarcation et fait de gros dégâts.

Les quatre femmes fondent le couvent des Ursulines dans une sorte de grange abandonnée de la basse ville. Marie de l'Incarnation devient vite l'âme de l'établissement, puis celle de la Nouvelle-France tout entière.

Elle reste trois ans dans sa cabane qu'elle appelle son « Louvre ». L'hiver, elle doit y dormir dans un coffre doublé de serge, tant il fait froid. En 1642, les ursulines inaugurent enfin un monastère « en pierres » de trois étages et 30 m de façade sur 9 de profondeur, une construction exceptionnelle pour le pays à cette époque.

Huit ans plus tard, le bâtiment est ruiné par un incendie. Ces malheurs transfigurent la chétive Marie Guyart. Elle exploite une ferme, s'intéresse aux mines, aux salines. Avec les bénéfices, elle crée et agrandit son collège où toutes les jeunes filles de Québec viennent s'instruire en compagnie de leurs sœurs indiennes, surtout des orphelines, dont l'espèce ne manque pas du fait des mœurs de leurs parents. La pension coûte théoriquement 120 livres par an, mais le manque d'argent liquide oblige souvent les familles à payer en nature.

Marie de l'Incarnation note tout. On connaît ainsi le détail du montant de la pension d'une demoiselle Couillard pour l'année 1646 : 7 cordes de bois de chauffage (une corde = 4 stères), 12 livres de beurre, 1 cochon gras, 1 baril de pois, 1 baril d'anguilles salées.

En 1668, Louis XIV prend des mesures pour franciser (évangéliser) les sauvages. Jésuites récollets et ursulines se lancent avec la fougue que l'on devine dans la bataille pour la foi. C'est le fiasco complet. Un Indien sur dix accepte d'écouter les missionnaires et, sur ceux-là, moins de un pour cent deviennent à peu près chrétiens. Certes, une grande majorité se fait baptiser, mais avec le même enthousiasme que nous mettons à nous procurer une carte d'identité. C'est le baptême-formalité, le moyen de devenir français. Un avantage qui n'est pas bien important dans les forêts. Cependant, les Indiens, qui adoptent avec tant de facilité, sont très fiers de pouvoir se dire de la nation des colons qu'ils admirent, même s'ils les détestent quelquefois.

Marie de l'Incarnation ne remporte qu'une victoire chez les Hurons de Lorette, un tout petit groupe échappé au massacre iroquois qui vit à l'abri des remparts de Québec.

Elle travaille comme une forcenée, veille à tout, conseille à leur demande gouverneurs, intendants, juristes. A quarante ans, elle apprend les langues indiennes et y réussit si bien qu'elle écrit un dictionnaire français-algonkin, un algonkin-français, un dictionnaire iroquois-français et un catéchisme iroquois. Elle compose également, en français cette fois, *l'École sainte ou Explication familière des mystères de la foi* et une relation d'oraison. Épistolière-née, elle écrira en trente-deux ans 13 000 lettres, souvent malicieuses et toujours rigoureuses, qui forment à elles seules une remarquable chronique de la Nouvelle-France. Elle participe aussi à la rédaction des annales.

Lorsqu'elle meurt à Québec, le 30 avril 1672, c'est un deuil national. On doit retarder l'enterrement pour laisser aux délégations françaises et indiennes le temps d'arriver pour la cérémonie. Un chef outaouais, après avoir regardé l'énorme assistance, déclare que tous ceux qui sont là et ceux qui courent encore les bois ont été au moins une fois soignés ou aidés par la mère de l'Incarnation.

Sa tombe sera l'objet d'un culte.

Jacques Larguiller, dit « le Castor »

Il est né à Bordeaux en 1644. A l'âge de vingt ans, il vient rejoindre son oncle Raymond Paget, dit « Carcy », à Québec. En 1666, il s'engage avec Adrien Jolliet et Denys Guyon « pour faire le voyage des Outaouais ».

En 1669, il vend la concession de Dombourg accordée par Jean Bourdon à son cousin Guillaume Paget. Avec l'argent, il se met à la traite des fourrures et y réussit au point d'être surnommé « le Castor ». Tireur remarquable, et surtout « homme de canot hors de pair », il en remonte aux Indiens les plus habiles.

Chaque année, il s'enfonce un peu plus loin. Il arrive certainement aux confins de l'actuel Minnesota et revient, « confit de castor gras ». Louis Jolliet se l'attache en 1673. C'est le Castor qui pilote son canot.

En 1674, il accompagne le père Marquette, puis rentre l'année suivante à Québec avec les derniers écrits du missionnaire et une très riche cargaison.

En 1676, après dix ans de vie indienne assez tapageuse, le Castor se met au service des jésuites. Il leur sert de guide, d'interprète, d'assistant. C'est ainsi qu'il est successivement l'homme de confiance des pères Allouez, Aveneau, Albanel, Nouvel et Gravier. Avec eux, il parcourt pratiquement la totalité de l'Amérique du Nord. Il succombe à l'épidémie de fièvre quarte le 4 novembre 1714.

Pierre Gadois : quand le mauvais sort s'en mêle...

C'est un paroissien de Saint-Germain-des-Prés né en 1632. Il vient au Canada avec ses parents et devient le premier enfant de chœur du poste de Ville-Marie.

Le voici maintenant armurier. A vingt-cinq ans, il épouse une certaine Marie Pontonnier. Cette dame paraît lui avoir donné sa foi après l'avoir promise au caporal Bourjoly, de la garnison de Montréal. Ce Bourjoly s'appelle de son vrai nom René Besnard.

Très mécontent de ce mariage, le caporal Bourjoly proclame à toute oreille que l'union va demeurer stérile « pour ce que lui, Bourjoly, sçavait nouer l'esguillette pour ce chien d'armurier ».

De fait, au bout d'un an, Pierre Gadois ne paraît pas devoir espérer de descendance. Alors, bien sûr, on fait un procès. Devant les juges, Bourjoly prétend, la main sur le cœur, que Marie Pontonnier lui a promis ses faveurs s'il consentait à rompre le mauvais sort. Interrogé plus précisément sur le fameux « nœud de l'esguillette », il répond qu'il n'a jamais parlé que de celui de ses chausses. On ricane dans les familles. Mais le pieux Chomedey de Maisonneuve fait envoyer le caporal en prison, puis après quelques mois l'exile à Québec.

Trois ans plus tard, l'évêque de Laval déclare officiellement le mariage nul « pour et à cause d'impuissance perpétuelle causée par maléfice ».

Dans les deux mois qui suivent, la chère Marie Pontonnier se remarie avec un autre soldat de la garnison. De son côté, Pierre Gadois attend cinq ans, puis épouse Jeanne Besnard, qui n'est pas parente du caporal Bourjoly.

Il lui fait triomphalement 14 enfants dont des jumeaux pour clore la série. Durant toute sa vie, il profite de la moindre occasion pour promener sa nombreuse famille en public et s'arrêter sous les fenêtres de Marie Pontonnier, narguer le caporal qui, enfin devenu sergent, est depuis longtemps de retour à Montréal. Pour le reste, il mène une vie honorable, sert comme milicien, mais pas dans le groupe de Bourjoly, rend des services comme éclaireur. Armurier réputé, il s'éteindra à quatre-vingt-deux ans à Montréal.

Marguerite Dizy : une femme de cœur

C'est une vraie Canadienne. Elle est née en 1663 à Trois-Rivières de Pierre Dizy, dit « Montplaisir », et de Marie Drouillet. Son père, cultivateur et soldat, est compagnon de François Hertel. A quatorze ans, Marguerite épouse Jean Desbrieux dont elle a tout de suite un fils.

Au recensement de 1681, le couple habite Batiscan. Il possède 1 fusil, 5 vaches et 6 arpents en culture. Marguerite est devenue chirurgienne. Elle est réputée pour son adresse à soigner les blessures faites par les Iroquois. Elle sait aussi « à ravir » réduire les fractures.

Son mari, Desbrieux, s'adonne à la traite. Il est de moins en moins chez lui, son commerce le poussant tous les ans sur le lac Nipissingue et parfois au-delà.

Marguerite reçoit alors les hommages de François Desjordy, un capitaine réformé des soldats de la marine. Il finit par habiter chez sa maîtresse, car Desbrieux ne rentre plus du tout. L'affaire tourne au scandale sous la diligente pression des voisines. On dénonce le couple illégitime en chaire et les curés de Batiscan et de Champlain lisent en public un commandement de l'évêque de Saint-Vallier interdisant l'entrée de leur église aux amants.

L'année suivante, Marguerite présente une requête au Conseil souverain pour annulation du mandement et réparation de l'offense. Le gouverneur Frontenac, toujours assez anticlérical, intervient en sa faveur. Elle obtient de pouvoir retourner à l'église. Desbrieux, qui n'était pas revenu depuis trois ans, meurt gelé, probablement en janvier 1699. Le 27 août, elle règle les affaires de son mari, et le beau capitaine s'installe définitivement chez elle. Il n'est nulle part fait état de mariage.

En 1704, elle est jugée pour avoir, semble-t-il, calomnié le curé de Batiscan. Sans doute a-t-elle de nombreux comptes à régler avec lui.

Elle continue sa carrière de chirurgienne, à la satisfaction générale. En 1721, on la trouve encore en procès pour diffamation contre un certain Tourville. Elle gagne.

Elle signe son dernier certificat de blessure le 11 avril 1730. On suppose qu'elle est décédée quatre ans plus tard.

Agathe de Saint-Père, une femme de tête

Elle naît à Montréal en 1657. Son père, son grand-père et son parrain sont tués par les Iroquois. Veuve, sa mère épouse Jacques Lemoyne de Sainte-Marie. Quand elle meurt en 1672, elle laisse 10 enfants à élever. Agathe, qui n'a que quinze ans, s'en chargera. A vingt-huit ans, elle épouse Pierre Le Gardeur de Repentigny, garçon charmant et courageux, mais de nature assez insouciante. Elle devient l'homme du ménage.

Au seuil du XVIIIe siècle, les conditions économiques générales obligent le Canada à vivre en économie fermée. Il n'y a pas de lin ni de chanvre, à peine de laine. Agathe organise alors un véritable laboratoire. Sous sa direction, on y fait des essais sur l'ortie, le filament d'écorce, le cotonnier sauvage, la laine de bœuf illinois (le bison). Elle parvient aussi à fabriquer des dragées au sucre d'érable que Louis XIV a la politesse de déclarer excellentes.

Lorsqu'en 1705, la *Seine* qui apporte le ravitaillement de l'année fait naufrage, le désespoir envahit la Nouvelle-France. Agathe prend les choses en main. Elle fait racheter aux Abénakis 9 tisserands anglais prisonniers et monte une manufacture de « droguet, serge et couverte ».

Aux 9 Anglais, elle adjoint des apprentis canadiens et des gardes indiens chrétiens, on ne sait jamais. Puis, elle fait construire 20 métiers à tisser, copiés sur l'unique modèle existant dans la colonie. La production de toile solide et d'étoffe assez grossière atteint bientôt 120 aunes par jour (230 m environ). C'est un triomphe.

Infatigable, Agathe se lance dans la teinture. Elle fait appel aux Indiennes qui vivent dans les environs de Montréal et réussit à mettre au point plus de 10 teintures à base de rouge ou de bleu. Grâce à son obstination, elle trouve encore un nouveau moyen pour teindre les peaux de chevreuils, en évitant de les tremper préalablement à l'huile, seule méthode alors connue qui rendait nauséabonde cette matière superbe.

En 1707, les habitants de Boston rachètent les tisserands. Les apprentis en savent assez et la petite industrie fonctionne très bien. En 1713, Agathe la vend à Pierre Thuot-Duval, un maître boulanger.

Veuve en 1736, elle décide de terminer ses jours à l'Hôpital général de Québec. Elle y retrouve la supérieure, Marie-Joseph de la Visitation, sa fille.

Elle y meurt en 1748 à quatre-vingt-onze ans.

Catherine Jérémie, une grande naturaliste

Elle est née à Québec le 22 septembre 1664. Son père, coureur des bois, fait la traite sur le haut Outaouais. Elevée chez les sœurs, elle apprend à compter, lire et écrire, surtout écrire, en même temps que le métier de sage-femme. A dix-huit ans, elle épouse Jacques Aubuchon, coureur des bois qui lui donne une fille et meurt gelé dans la forêt dans l'hiver 1686.

En novembre 1688, elle épouse, à Batiscan, Michel Lepailleur qui lui donnera 11 enfants. Ils s'établissent à Montréal où Lepailleur obtient une charge de notaire. Catherine continue son métier de sage-femme et développe ses dons de naturaliste. Elle compose un herbier unique sur les plantes de la forêt canadienne.

Elle entre en communication avec les plus grands naturalistes de son temps, qui la considèrent comme une correspondante de première importance.

Sa patiente connaissance des simples s'améliore au fur et à mesure des nombreuses expériences que lui livrent les femmes indiennes avec qui elle travaille constamment. En 1740, l'intendant Gilles Hocquart témoigne, dans son rapport annuel, que « Mme Lepailleur, veuve depuis 1733, s'est attachée avec succès à connaître le secret de la médecine des sauvaiges ».

Elle meurt en 1744. Tous ses envois et les notes qui les accompagnaient sont rassemblés au Muséum d'histoire naturelle de Paris, où, semble-t-il, personne ne songe à les exhumer.

Mathieu Sagean, l'imagination délirante

Il est probablement né à Lachine, vers 1670. Il se

déclare soldat et coureur des bois. De fait, c'est surtout dans cette dernière spécialité qu'on l'estime, car il est capable d'accomplir 300 km à pied en une semaine en ne mangeant qu'une poignée de maïs cru par jour. C'est ce qu'il a fait avec Cavelier de La Salle lors de son premier retour vers le fort Frontenac. Il l'accompagne jusqu'au golfe du Mexique.

On le retrouve en 1700 à Brest, où il est employé sur un navire canadien.

Sagean demande alors audience à Desclouzeaux, intendant de la marine, et lui raconte une histoire digne des *Mille et Une Nuits*. Il affirme avoir trouvé le royaume d'Acaaniba (à l'emplacement actuel du Nouveau-Mexique). Après avoir quitté Cavelier et Tonty avec leur approbation, il est parti avec 11 Français et 2 Indiens Loups. Il lui a fallu un an avant de découvrir le fleuve Milly qui traverse le royaume et la capitale du même nom où il a séjourné cinq mois. Le peuple y est accueillant, l'or si abondant qu'on en fait des casseroles. Tous les ans, 3 000 bœufs chargés d'or sont expédiés en tribut pour un voyage de 6 lunes vers un lointain royaume-suzerain qui ne peut être que Cipangu (le Japon) puisque les indigènes l'appelle Schipaniü.

Lorsque Pontchartrain, ministre de la Marine, reçoit la communication de Desclouzeaux, il demande aussitôt à celui-ci de lui fournir en grand secret un rapport détaillé. Si Sagean ne sait pas écrire, il conte fort bien. Il abreuve le secrétaire de Desclouzeaux de détails incroyables de précision, sans jamais se démentir. Mais ce qu'il dit est si beau et si énorme que les responsables devraient se méfier. Il n'en est rien, et Pontchartrain se prend à rêver à la lecture du long rapport. Il fait interroger Sagean par Pierre Le Moyne d'Iberville, alors de passage à

Rochefort. Le Canadien ne sait que dire et se contente de certifier ce qu'il sait : Sagean est canadien et coureur des bois connu. Il se garde bien, cependant, de proposer son concours pour l'exploration de la fameuse découverte.

Malgré le mystère qui entoure le rapport, on ne tarde pas à apprendre son contenu. Aussitôt, on frémit. Cabard de Villemont, les abbés Danjou et Bernou, conseillers du roi, s'enflamment. La tête pleine de rêves dorés, Pontchartrain ordonne que l'on conduise Sagean en Louisiane pour y guider une expédition vers Acaaniba.

Le 27 mai 1701, Tonty et Le Sueur, qui sont au fort de Maurepas, s'esclaffent en voyant arriver ce vieux farceur de Mathieu Sagean en compagnie de quelques officiers. Ils ont tôt fait de remettre les choses à leur place.

En dehors de ses qualités de pisteur, Sagean est réputé pour sa « folie des grandeurs » en même temps que pour sa poésie. L'affaire tourne court et l'on chasse le plaisantin du fort.

Dix ans plus tard, il fait encore parler de lui à propos d'une vague chicane pour les bornages de sa propriété. Ce procès nous indique qu'il possède une concession du côté de Mobile. Sagean a quand même réussi à gagner un peu d'argent grâce à la traite.

Il meurt aux environs de 1713, probablement de fièvre jaune.

Louis Couillard de Lespinay : un Canadien pur sang

Fils aîné de Guillaume Couillard, il naît en 1629, deux mois avant l'arrivée des Anglais. On pense que c'est à cause de ce bébé que Guillaume refusa de suivre les autres Français en exil. Le jeune Louis reçoit une certaine instruction des jésuites.

A dix-sept ans, avec quatre joyeux compagnons, « tous fripons », dit le journal des jésuites, il fait le voyage de France où il mène un assez joli tapage. Il navigue, guerroie contre les Anglais, probablement des corsaires, passe pour mort.

Toujours riant, il reparaît à Québec à l'âge de vingt et un ans. Il forme aussitôt une association avec 7 autres jeunes Canadiens pour exploiter la chasse au phoque. L'année suivante, il épouse Geneviève des Prés et achète la moitié de la seigneurie de la Rivière-Sud, à 50 km en aval de Québec. Il acquiert une seconde terre, mais ne s'y installe pas, préférant mener entre deux récoltes une grosse barque construite par son père, du golfe à Québec. Il crée ainsi une sorte de trafic régulier dont plus personne ne peut se passer.

En 1656, il bat le record de pêche à la morue en prenant 1 000 poissons dans une seule journée. Trois ans plus tard, il pêche 220 phoques sur une île, en face de Tadoussac, île qui lui est cédée en 1664 en même temps qu'on lui verse une subvention de 1 000 livres pour la découverte d'une mine de fer.

En 1668, Louis XIV lui donne des lettres de noblesse comme en 1654 à son père Guillaume. Si celui-ci avait choisi comme devise : « Dieu aide au premier colon », Louis, désormais « de » Lespinay, en adopte une autre qui éclaire singulièrement son personnage : « Prix des travaux n'a rien de vil »... et il repart à la pêche aux phoques.

Il meurt dans son manoir de pierre (un luxe insensé) en 1678. Il a quarante-neuf ans.

9/ *Les fous de l'espace*

Étienne Brulé

Il est né en 1592 à Champigny-sur-Marne et part au Canada avec Champlain à l'âge de dix-huit ans.

Huit ans plus tard, c'est un gaillard des plus conséquents qui parle le huron, l'algonkin et mène la vie libre des Indiens des bois. Les pères récollets lui reprochent vivement son goût pour les femmes ainsi que son impiété flagrante : une monstruosité pour l'époque.

Le père Sagard raconte que lors d'un accident où il crut mourir, il découvrit que Brulé ne connaissait que son bénédicité. Pour avoir la paix et vivre selon son désir, Brulé disparaît dès qu'il le peut. Sur ordre de Champlain, il s'en va en ambassade chez les Andastes pour les décider à se battre contre les Iroquois. Les Andastes, qui habitent à l'emplacement actuel de Toronto, arrivent deux jours trop tard.

Brulé, reparti avec ses nouveaux amis, explore leur région loin dans le sud « en pourmenant le long d'eune rivière qui se descharge par la Floride ». Il va jusqu'à l'embouchure, « tant pleine d'isles et de terres proches d'icelles ». Il a descendu la Susquehanna et exploré la baie de Chesapeake, où se trouve aujourd'hui Washington.

En revenant, il est fait prisonnier par les Iroquois, mais arrive à s'échapper, personne ne sait comment.

Entre 1621 et 1623, il découvre les Grands Lacs. Il campe là où s'élèveront les villes de Duluth et Superior. Il décrit les chutes du sault Sainte-Marie qu'il appelle le sault de Gaston « ayant près de deux lieües de large, lequel lac avec la mer doulce contiennent environ trente jours de canot selon l'idée des sauvaiges et de la mienne 400 lieües de vraie longueur ».

Toujours marchant, canotant, chassant, lutinant les jolies Indiennes et bâfrant avec ses frères de sang, il visite en 1625 le pays des Neutres, découvre le lac Érié, les chutes du Niagara. Enfin, il s'installe à Toanché, chez les Hurons, où il rencontre les pères Sagard et Brébeuf. Si, au début, il accepte de leur apprendre les langues indiennes, il refuse ensuite, sans doute pour limiter le pouvoir des missionnaires.

Champlain comme les pères lui veulent peu de bien, car on sait qu'il touche 1 000 livres par an pour inciter les Indiens à joindre les postes de traite.

Quand arrivent les Kirke, il se met aussitôt à leur service, ou, plutôt, regagne son village et son harem. Cet homme est prêt à tout accepter, pourvu qu'on le laisse tranquille. Nicolas Marsolet fait la même chose. Champlain ne leur pardonnera jamais.

Quand le fondateur de la Nouvelle-France revient en 1633, Etienne Brulé est mort. Les Hurons l'ont mangé, peut-être pour une histoire de femme.

Jean Jolliet

Né à Québec en 1645 où son père est charron au service de la Compagnie des Cent-Associés, c'est un des hommes les plus doués de son temps. Il est tour à tour explorateur, cartographe, hydrographe du roi, professeur au collège des jésuites, commerçant, seigneur canadien et surtout découvreur du Mississipi. Son nom est intimement lié à celui du père Marquette, son compagnon de route dans la découverte de la Belle-Rivière (Ohio en iroquois, Mississipi en outaouais). Les Miamis — à moins que ce ne soient les Illinois — l'appelle Michisépé, ce qui veut dire « Père des fleuves ».

Au retour de cette formidable « invention », Jolliet écrit un rapport détaillé et dessine des cartes en deux exemplaires. Il en remet un à la mission de sault Sainte-Marie et garde le second. Avant Montréal, au sault Saint-Louis, il fait naufrage et perd tous ses papiers. L'année suivante, il apprend que le double de son rapport a été détruit dans l'incendie qui a ravagé la mission. Il doit tout recomposer de mémoire. Le rapport y perd en précision. Il faudra attendre Cavelier de La Salle pour recommencer une exploration jugée incertaine.

Joliet devient un important négociant. Il lutte contre la traite de l'eau-de-vie. Sans doute lassé du quotidien des marchands, il part explorer et surtout parfaire la connaissance de la baie d'Hudson. Entre deux voyages, il donne des cours d'hydrographie au collège de Québec.

Il meurt en 1700 dans son domaine de Champigny, en face d'Anticosti.

Jacques Marquette

Fils de Nicolas Marquette, seigneur de Tombelle et conseiller de Laon, il est né le 10 juin 1637 à Laon et appartient à ces familles qui tiennent autant à leur roture que d'autres à leur noblesse. A dix-sept ans, Jacques Marquette commence son noviciat chez les jésuites de Nancy. Sept ans plus tard, le voici à Trois-Rivières où il passe une année à étudier les langues indiennes. Génie de la linguistique, à la fin de sa vie, il sera sans doute le seul au monde à parler à la perfection « avec l'accentuation » l'outaouais, l'algonkin, l'iroquois, plus une dizaine de dialectes.

Il s'en va fonder la mission de Saint-Ignace, le fameux poste de Michillimakinac. En 1672, Jolliet vient lui apporter un ordre écrit du supérieur de Québec qui lui demande de se joindre à l'explorateur. Cette mission le remplit de joie, car, à part les sermons aux hôtes de passage et un peu de chasse à proximité du poste, sa vie n'est pas excessivement animée.

Marquette et Jolliet partent le 15 mai 1673, en canot, bien sûr. Ils descendent tout le Michigan, s'engagent dans la forêt, trouvent des portages inconnus de leurs guides. Un mois plus tard, ils naviguent sur le Mississipi, la Belle-Rivière. Ils sont convaincus d'être les premiers à visiter ces terres et c'est probablement avec un certain sentiment de fierté qu'ils entrent dans le village de Peoria. Là, le très vieil Indien qui les accueille s'écrie en levant les bras : « Le soleil n'est jamais aussi éclatant, ô Français, que lorsque tu viens nous voir... » La phrase sera gravée sur le monument de Marquette à Laon, en 1937. Tout porte à croire que le vieil Indien en question n'est autre qu'un de ces déserteurs français, hautement indianisés, qui pullulent du nord au sud, à l'ouest des Grands Lacs. Sans doute inquiet de sa hardiesse qui aurait pu attirer l'attention sur lui, le vieil homme ne reparut jamais.

Puis Marquette et Jolliet descendent le grand fleuve jusqu'à l'Arkansas. Le changement de climat et de flore, la direction générale des eaux leur indiquent que dorénavant le Mississipi ne peut que continuer au sud. Ils remontent et, à la mi-septembre, parviennent à Saint-François-Xavier, sur le lac Michigan.

Après cette épopée épuisante, Marquette reprend sa vie de missionnaire. Il est très fatigué et vraisemblablement déjà malade, mais il a promis aux Indiens Kaskakias (des Illinois) de revenir chez eux. Il y arrive à grand-peine le 8 avril 1675. C'est le jeudi saint. Il prêche devant 2 000 Indiens, très impressionnés.

De plus en plus malade, il veut remonter à Michillimakinac et meurt en pleine forêt. Ses deux compagnons ne peuvent que l'ensevelir après avoir pris un grand nombre de repères pour retrouver un jour sa tombe.

Deux ans plus tard, une grande bande de Kiskakons, montés sur trente canots, viennent à Michillimakinac pour apporter en grande pompe les restes du missionnaire-explorateur. Il n'y a pas un chrétien parmi eux. On mesure là l'estime dans laquelle ils tenaient le père Marquette.

René-Robert Cavelier de La Salle

Il naît à Rouen le 21 novembre 1643. Ses parents sont merciers en gros dans la paroisse de Saint-

Herbland. Le jeune homme est élevé dans le même quartier que Pierre Corneille.

L'adolescent est un colosse turbulent, querelleur et velléitaire. Il fait son noviciat chez les jésuites. Il y devient professeur jusqu'en 1666, date à laquelle il quitte le collège à « cause de ses infirmités morales », comprenez son excès de santé. A Paris, il se lie avec l'abbé Bernou et Eusèbe Renaudot, petit-fils du créateur de *La Gazette*. C'est une coterie puissante.

En novembre 1667, il arrive à Québec. Les sulpiciens lui concèdent une seigneurie dans l'île de Montréal qu'il revend aussitôt à ses anciens propriétaires... Cette « astuce » indique clairement que Cavelier a déjà de gros appuis à la cour. Nanti de ce viatique, il part pour réaliser son rêve enfin avoué : découvrir l'Ohio. Un rêve assez étrange, car, dans l'esprit de son temps, l'Ohio peut être assimilé au serpent de mer.

Les projets de Cavelier ne s'opposant pas à ceux du sulpicien Dollier de Casson, les deux hommes décident de faire équipe. Le supérieur craint toutefois « l'humeur légère » de Cavelier et leur adjoint le diacre Bréhant de Galinée, fort capable de dresser une carte et de poursuivre le voyage au cas où Cavelier abandonnerait l'expédition « à la première fantaisie ».

Tout commence mal. Cavelier de La Salle, qui prétend parler iroquois, ignore tout du maniement d'un canot. Dans sa troupe entièrement venue de France, personne n'a la moindre idée de cet art. Résultat : l'expédition met un mois pour gagner le

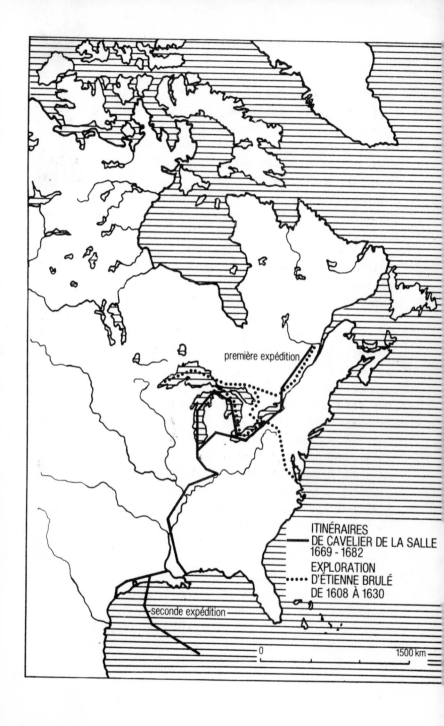

première expédition

ITINÉRAIRES
DE CAVELIER DE LA SALLE
1669 - 1682
EXPLORATION
D'ÉTIENNE BRULÉ
DE 1608 À 1630

seconde expédition

0   1500 km

premier village tsonnontouan. Il faut un autre mois pour trouver un guide. Puis La Salle tombe malade. Galinée écrit non sans malice que c'est à cause de trois gros serpents à sonnette sur lesquels il a failli mettre la main en escaladant un rocher.

Le 1er octobre, Cavelier laisse Galinée poursuivre et rentre à Montréal avec une bonne partie de ses compagnons. Il disparaît et certainement voyage. Personne, en fait, ne sait où il va. On prétend qu'il est parti pour l'Ohio, mais des témoins le rencontrent sur l'Outaouais, à 1 200 km à vol d'oiseau de l'hypothétique Belle-Rivière. On le revoit le 18 août 1670, lors du retour de l'intendant Talon. Celui-ci le commissionne pour aller « au sud, por trover l'ouverture du Mexique ». Cependant, en 71 et 72, il est toujours à Montréal en quête d'argent. Il semble qu'il fasse un peu de traite.

En 1673, il est devenu incontestablement un superbe coureur des bois, expert en canotage, chasse et guerre indienne. Sa force énorme le sert admirablement.

Le gouverneur Frontenac l'envoie chez les Iroquois préparer l'expédition qu'il prévoit depuis longtemps. Il n'est toujours pas fait mention de l'Ohio. A l'automne, Cavelier revient à Montréal au moment où Frontenac fait arrêter le gouverneur de la ville. On comprend aussitôt que Cavelier est un véhément supporter du gouverneur.

En 1674, il fait le voyage de Versailles, obtient le fort Cataracoui qu'il baptise fort Frontenac, de même que des lettres de noblesse pour lui et ses descendants.

En 1677, il revient à Versailles où on lui donne l'autorisation de bâtir à ses frais deux établissements. Il rêve d'un empire et, grâce à ses amis

Bernou et Renaudot, reçoit la permission de découvrir l'Ouest, entre la Floride, le Mexique et la Nouvelle-France. Ce genre de permission sous-entend qu'il dispose de l'appui et de la protection du roi, alors le plus puissant souverain du monde.

Le 15 septembre, Cavelier est à Québec avec 30 compagnons dont Tonty le Manchot. A Noël, il est aux chutes du Niagara. Il fait construire un bateau de 45 tonneaux : le *Griffon*, en l'honneur des armes de Frontenac. Il est lancé le 7 août 1679 et, vingt jours plus tard, atteint le détroit entre les lacs Huron et Michigan. Il s'arrête à la mission de Michillimakinac. C'est la première fois qu'un navire à voiles circule dans ces eaux.

Le 15 septembre, il est à la baie des Puants où, malgré l'interdiction directe du roi de « practiquer aucun commerce avec les sauvaiges nommés Outaoués et aultres qui apportent leurs pelleteries à Montréal », il engage la traite sur une grande échelle. Il charge le *Griffon* de somptueuses fourrures, renvoie son navire et continue en canot. Il a déjà parcouru au moins 2 000 km.

Le 19 septembre 1679, il part avec quatorze compagnons sur quatre grands canots. Le vent souffle en tempête. A partir de cette date, l'aventure presque solitaire de La Salle prend des dimensions inconnues à ce jour.

Il bâtit un fort à Saint-Joseph, sur la rivière des Miamis. Tonty l'y retrouve. Pas de nouvelles du *Griffon*. Il repart le 3 décembre, passe par la Teatiki, rejoint l'Illinois. Le 5 janvier, il arrive sur le lieu actuel de Peoria. Malgré l'hostilité des indigènes, il y fait bâtir un nouveau fort qu'il baptise Crèvecœur. Toujours sans nouvelles du *Griffon*, bien que presque tous les jours il expédie des Indiens grassement payés pour porter des lettres et rapporter leurs réponses, il décide de partir à sa recherche. Il faut s'appeler Cavelier de La Salle pour envisager une pareille randonnée.

Le voici de nouveau en route avec cinq hommes. Il perd son canot le troisième jour et doit continuer à pied dans les alternatives de gel et de redoux du printemps. Après 400 km, Cavelier atteint Saint-Joseph en face de l'actuel Chicago. Toujours pas de nouvelles du *Griffon*. Les six hommes continuent à travers une forêt si épaisse et « si fournie d'espines » que leurs vêtements sont bientôt en loques. Direction : le lac Érié.

De l'avis général, jamais un Indien n'est passé par là. Le 21 avril, Cavelier est à Niagara où le fort a été incendié. Il apprend la perte d'un navire sur le Saint-Laurent qui devait apporter pour 20 000 livres de marchandises. Inébranlable, il continue et parvient, le 6 mai, au fort Frontenac. Cette fois, il a parcouru 2 000 km à pied, pour la moitié en terre inexplorée.

Il gagne Montréal, s'y endette encore un peu plus et revient au fort Frontenac où des déserteurs ont pillé ses maigres réserves. Sans perdre un instant, il leur tend une embuscade dans la baie de Cataracoui et les capture avec leur butin.

Le 10 août, il réunit 25 hommes et organise une nouvelle expédition chez les Illinois. Il sait à présent qu'il a perdu le *Griffon*, coulé dans le lac Michigan. Le 1er décembre, il retrouve le fort Crevecœur. Il est en ruine et des cadavres d'Indiens mutilés gisent partout. Il remonte au fort Saint-Joseph, envoie partout des émissaires à la recherche de Tonty. En attendant, sans doute pour se reposer, il voyage sans arrêt pour inciter les Illinois et les Miamis à s'allier contre les Iroquois. Tout l'hiver, qui ne semble pas avoir prise sur cet homme de béton, et le printemps se passent ainsi.

Le 11 août 1681, sur l'ordre de Frontenac, il est à Montréal. Il fournit un long rapport écrit au gouverneur et, après avoir rédigé son testament en faveur de ses créanciers, repart.

Le 19 décembre, il est au fort Saint-Joseph où l'attend Tonty. En pleine forme, il vérifie tous les équipements, les bagages et les vivres, puis donne l'ordre de départ à 23 Français et 18 Indiens.

Le 6 février 1682, il parvient au confluent du Mississipi. Une semaine plus tard, la dispersion des glaces autorise le grand départ. Cinq jours plus tard, il découvre l'embouchure de l'Ohio aux environs de l'actuelle Memphis. Là, il doit attendre une dizaine de jours un membre de l'expédition égaré à la chasse, qu'on retrouve enfin sur le fleuve, accroché à un tronc flottant, mourant de faim. La Salle en profite pour faire édifier un fort appelé Prud'homme, du nom du naufragé.

Le 5 mars, il reprend la descente. Le 12, il rencontre des indigènes sur le pied de guerre. Tout s'arrange par un formidable banquet. 60 km plus loin, il atteint l'embouchure de l'Arkansas, terme du voyage de Jolliet et du Père Marquette en 1673.

Le 22 mars, il entre dans le pays des crocodiles. Il fait très chaud alors qu'à 1 500 km en amont le fleuve est encore pris dans les glaces. Le 6 avril, il voit la mer. Trois jours plus tard, l'explorateur, à l'endroit nommé aujourd'hui Venice, prend officiellement possession du pays au nom du roi de France. Pour ce faire, La Salle revêt un pourpoint à col de dentelle, un chapeau à plume et un immense manteau d'écarlate galonné d'or qui ne l'ont jamais quitté depuis le début de ses aventures !

Il tombe malade jusqu'au 15 juillet, puis entame le chemin du retour. Il arrive à pied au lac Michigan, rejoint le fort Saint-Joseph en canot et, de là, fait 500 km, de nouveau à pied, jusqu'à Michillimakinac où il parvient le 15 septembre.

Il écrit un long rapport à Frontenac alors que le gouverneur Lefebvre de La Barre vient de lui succéder. Il retourne passer l'hiver à Saint-Louis des Illinois où il fait ériger un fort sur un rocher inaccessible. La Salle continue d'installer des postes de traite aux points stratégiques.

A la fin 1683, il est à Versailles. L'abbé Bernou et Eusèbe Renaudot falsifient son rapport pour le faire coïncider avec leur projet concernant la conquête des colonies espagnoles. Cavelier de La Salle, parfaitement inconscient, accepte de déplacer de 1 000 km vers l'ouest l'embouchure du Mississipi. De cette façon, le fleuve s'ouvre aux frontières du Mexique, près du rio Bravo (rio Grande). Grâce à ce travail, l'ancien gouverneur Diego de Penalossa, passé en France par la faute de l'Inquisition, peut envisager la conquête de la Nouvelle-Espagne et surtout de ses mines. Les comploteurs n'y vont pas de main morte.

La Salle, en plein délire, accepte tout. Il se prête aux plus énormes mensonges et va même jusqu'à affirmer qu'il peut lever une armée de 15 000 Indiens, en plus des 4 000 qu'il a déjà à Saint-Louis des Illinois. Choyé, adulé, il passe du lit d'une courtisane à des salles de conférences où il tient des propos de plus en plus déments. Il dit très clairement qu'il est possible de remonter le cours du fleuve sur plus de 100 lieues avec des gros navires et sur 500 en barques, alors qu'il sait pertinemment que le cours en est considérablement obstrué par des troncs pétrifiés.

Seignelay, fils de Colbert et ministre de la Marine,

finit par se laisser séduire. Le 10 avril 1684, le roi rend tous ses forts à Cavelier de La Salle et lui confie le commandement des territoires de Saint-Louis jusqu'à la Nouvelle-Biscaye. Il lui donne en outre 100 soldats, 8 officiers et sous-officiers, un navire de 36 canons, le *Joly*, ainsi qu'une flotte de transport : la *Belle*, l'*Aimable* et le *Saint-François*. 320 voyageurs, savants et colons s'embarquent pour fonder une ville à l'embouchure inexistante d'un fleuve et sur une terre inconnue formée de marécages insalubres...

Durant deux ans, on cherche le fleuve. Peu à peu, la monstrueuse erreur prend corps. La Salle s'échine, se bat, recommence ses marches insensées, mais il est le seul à pouvoir les accomplir. Il ne reste que 17 personnes à ses côtés et 25 dans un fort bâti à la hâte. Quand La Salle retrouve enfin « son fleuve », il est trop tard.

Le 19 mars, les « marcheurs » assassinent Cavelier et lui ravissent son fameux manteau d'écarlate qui a survécu à tous les naufrages. Les assassins se tuent entre eux. Les survivants atteignent Saint-Louis le 14 septembre et Montréal le 13 juillet 1688.

Le frère de Cavelier, un prêtre sulpicien qui a participé à tout le voyage, garde le secret de la mort de son aîné pour pouvoir vendre tranquillement les fourrures qu'il avait amassées. Il ne la rend publique qu'en France le 9 octobre. Dans l'année qui suit, il publie un récit de l'aventure rempli d'erreurs volontaires, de mensonges et d'outrances qui vont tromper des générations d'historiens.

Louis XIV ne fait officiellement aucun commentaire, ni sur le voyage ni sur la catastrophe finale. Cependant, il conserve et fait dûment enregistrer sur les cartes cette immense Louisiane que lui a offerte le fabuleux visionnaire.

Médouard Chouart des Groseillers et Pierre-Esprit Radisson

Ils ont vingt-deux ans de différence, sont beaux-frères à l'issue d'un second mariage, et leurs destins sont si bien liés qu'il n'est pas possible de parler de l'un sans évoquer l'autre.

Commençons par Chouart des Groseillers. Il naît en 1618 à Charly-sur-Marne, près de Château-Thierry, dans une ferme qui existe encore. On ignore tout de sa première jeunesse, sinon qu'il « a vécu chez une de nos mères de Tours », comme nous l'apprend Marie de l'Incarnation.

La première fois qu'on le cite, il a vingt-huit ans. Il est alors soldat à la mission jésuite de Huronie. L'année suivante, en 1647, il est à Québec où il signale à Marie de l'Incarnation qu'il a vu une grande mer au-delà du pays des Hurons : le lac Supérieur. Il se marie quelques semaines plus tard avec une jeune veuve, Hélène, fille d'Abraham Martin qui laissera son nom aux trop fameuses plaines d'Abraham. Hélène lui donne deux fils et meurt.

Il se remarie encore avec une veuve, sa lointaine cousine par alliance, Marguerite Hayet, native d'Avignon, qui est arrivée récemment de Paris. Elle fait bientôt venir en Nouvelle-France son demi-frère, Pierre-Esprit Radisson, sans doute parce qu'il est orphelin.

Il arrive à Trois-Rivières à l'âge de dix ans. Quelques semaines plus tard, le gamin est enlevé par les Iroquois. Un deuil de plus pour sa sœur. Mais, à l'époque, cette situation féroce est tout à fait habituelle.

En 1654, Des Groseillers accompagne des Indiens traiteurs qui rentrent dans leur village. Il campe avec eux sur le futur emplacement de Michillimakinac et revient avec une « flotte » de plus de 100 canots qui portent pour plus de 100 000 livres de fourrures. C'est lui qui attire l'attention des autorités sur la valeur stratégique du détroit.

Il retourne dans sa famille à Trois-Rivières. Là, il s'occupe activement des semailles de printemps, quand un jeune gaillard se présente à la ferme, Pierre-Esprit Radisson. Il vient de vivre une aventure que n'aurait pas osé rêver le plus débridé des romantiques. Il a quinze ans.

On imagine aisément la fête des Trifulviens au retour de l'enfant dont on se souvenait à peine et que tout le monde croyait mangé depuis cinq ans. Lors de sa capture, Radisson n'a pas été exécuté en raison de son jeune âge. L'adoption d'un mâle français étant considérée comme une excellente affaire, un placement d'avenir, il y eut même une dispute entre les familles influentes pour s'approprier le jeune prisonnier. Le voilà devenu iroquois. Il apprend la langue avec une facilité qui déconcerte ses maîtres. Radisson possède une oreille remarquable. Il joue de la guitare, jouera du clavecin et de l'orgue sans jamais avoir pris de cours. Plus tard, il parlera anglais sans accent et avec une volubilité provençale.

Pour l'instant, il vit complètement à l'indienne, participe aux expéditions, à la grande saison de pêche, bref, paraît s'amuser énormément. Au bout de deux ans, il s'enfuit, mais est récupéré par ses « parents » en vue de Trois-Rivières. Dans le bourg, personne ne se doute de son identité. On note seulement une « dispute entre sauvaiges loin de portée [de fusil] ». Reconduit au village, il est torturé une journée entière, puis gracié de justesse par l'intervention de sa famille. Il reçoit alors un nom

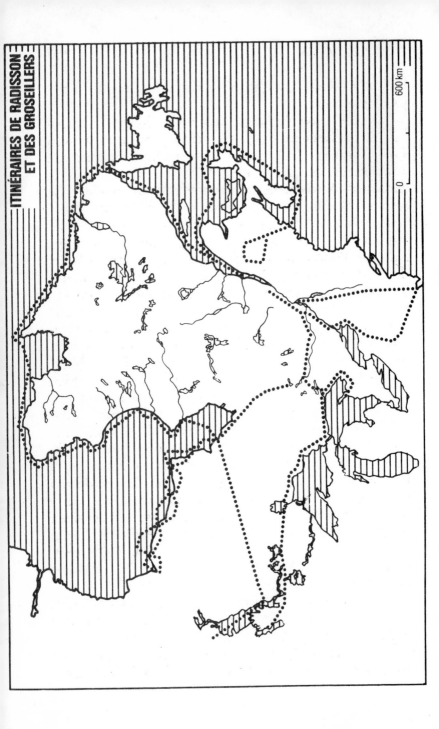

ITINÉRAIRES DE RADISSON ET DES GROSEILLERS

0   600 km

indien, Oninga, pour sa belle tenue au poteau. Il n'a pas treize ans.

L'année suivante, au cours d'une longue randonnée, il parvient avec d'autres chasseurs de sa tribu à Fort Orange (Albany, État de New York). Le gouverneur, auquel il s'est fait reconnaître, veut le racheter. Noblement, Oninga-Radisson refuse. De retour chez lui, il regrette sa décision et s'échappe, cette fois pour de bon. Il devient interprète chez les Hollandais, puis, grâce à un jésuite de passage, Antoine Poncet, il est rapatrié à Amsterdam à la fin de 1654. Il passe en France, dans l'espoir d'y obtenir un passage gratuit pour rejoindre sa sœur. Radisson et Des Groseillers font connaissance. Le jeune homme part chez les jésuites, sans doute pour rembourser le prix de son voyage qu'ils lui ont vraisemblablement avancé. Après avoir fait office d'interprète durant deux ans, il accompagne une mission chez les Iroquois. A force de diplomatie indienne, il parvient à faire accepter à son ancienne tribu suffisamment de petits cadeaux pour « oublier » sa fuite. La mission tourne mal et Radisson réussit à soustraire les membres de celle-ci promis au poteau et à la marmite. Cet exploit doit certainement solder sa dette, car il rentre chez lui à Trois-Rivières. Il y trouve Des Groseillers, son beau-frère. Les deux hommes sympathisent. Ils partent ensemble le 2 août 1659 « à la traicte et à la descouverte ». Nulle part, on ne peut trouver une telle association de hardiesse, de force et d'expérience.

Le gouverneur Voyer d'Argenson exige qu'ils soient accompagnés d'un de ses hommes ou menace d'interdire l'expédition. Tout le monde comprend qu'il veut leur adjoindre un espion pour s'approprier leurs découvertes et surtout les possibilités de traite.

Des Groseillers étant capitaine de Trois-Rivières, il peut se déplacer comme il le veut. Il ne s'en prive pas. Les deux hommes, accompagnés de quatre compagnons indiens, remontent l'Outaouais, gagnent le lac Supérieur et poussent si loin dans l'Ouest qu'ils parviennent à la limite de la forêt. Ils rencontrent les Sioux et nouent avec eux des relations commerciales. A leur retour, il est vraisemblable qu'ils voient la baie d'Hudson ou reconnaissent un fleuve qui s'y jette, peut-être l'Albany. Ils reviennent en 1660 au mois d'août avec une formidable récolte de peaux. Au Long Sault, ils découvrent les horribles traces du combat de Dollard des Ormeaux.

A Montréal, on les accueille en héros. Charles Le Moyne signe un contrat avec eux. Les jésuites, très intéressés par les nouvelles de l'Ouest, les protègent. Sur les indications de Des Groseillers, le père Ménard et une dizaine de Français s'embarquent avec des Indiens qui les avaient accompagnés. A Québec, Marie de l'Incarnation cite leur retour comme « celui d'une manne céleste qui sauve la colonie ». Cependant, les fonctionnaires de d'Argenson interviennent, confisquent les peaux et infligent une lourde amende aux voyageurs. Des Groseillers est même mis en prison. Précisons que cette vertueuse protection du quint royal, cinquième toujours réservé aux caisses du roi, sert surtout à alimenter celles du gouverneur et la cupidité des gabelous. Lorsque Des Groseillers est libéré, il ne reste rien du trésor, et d'Argenson va jusqu'à émettre les doutes les plus injurieux sur l'origine des fourrures et la réalité des découvertes des explorateurs.

En 1661, les deux beaux-frères se rendent en France pour tenter d'obtenir justice. En vain. Radisson en profite pour impressionner les dames de la cour en leur montrant les cicatrices des tortures que lui ont infligées les Iroquois.

En 1662, ils signent un contrat avec Arnaud Peré, coureur des bois qui a officiellement découvert le fleuve Albany. A leur retour, on les accuse de contrebande. C'est faux, mais la cupidité des fonctionnaires du gouverneur n'a plus de bornes. Cette fois, c'en est trop. Ils feignent de s'incliner et, l'année suivante, obtiennent une autorisation de voyage pour la baie d'Hudson. Ils quittent Trois-Rivières sur un petit navire et, arrivés dans le golfe, au lieu de pousser vers le nord, ils obliquent au sud et débarquent en Nouvelle-Angleterre. Il y sont enfin accueillis « selon leur mérite » comme l'écrit Radisson.

La profonde connaissance de l'Avignonnais, du pays iroquois et de la région des sources de l'Hudson et de la Delaware, est très utile aux Anglais pour s'emparer de la Nouvelle-Hollande. Fort Orange est rebaptisé Albany, un nom qui paraît tenir beaucoup à cœur aux deux hommes. Marie de l'Incarnation et le père Ragueneau attestent l'événement sans équivoque.

En 1666, ils sont à Londres où Radisson rédige la relation de leurs voyages à l'intention du roi d'Angleterre, Jacques II. En 1668, les deux explorateurs réussissent la première percée en baie d'Hudson pour le compte de l'Angleterre. Ils élèvent un fort chargé de protéger le premier comptoir de traite à l'embouchure de la rivière Ruppert. Deux ans plus tard, la Hudson's Bay Company est créée. Les deux hommes en sont actionnaires et employés. Jusqu'en 1675, ils fondent des comptoirs, des forts. La traite est florissante.

En Nouvelle-France où les fourrures n'arrivent plus, le gouverneur Frontenac, Marie de l'Incarnation, les jésuites envoient lettres sur lettres à Colbert qui doit singulièrement regretter les quelques milliers de livres dérobées par le fisc aux deux aventuriers. Finalement, le père Albanel, prisonnier des Anglais, arrive à étouffer la rancune qui les anime. Il les retourne même si complètement qu'ils acceptent avant réparation de reprendre du service pour la Nouvelle-France. En 1681, Radisson et Des Groseillers repartent donc pour la baie d'Hudson sous le pavillon à fleur de lys. Une Compagnie du Nord a été créée par Aubert de La Chesnay, homme droit, riche et d'une fermeté à toute épreuve.

L'année suivante, c'est le contact entre deux partis anglais heureusement concurrents et les Français. Ceux-ci, indianisés à l'extrême, finissent par l'emporter, malgré leur petit nombre, dans la guérilla féroce qui suit. Radisson et Des Groseillers sont décidément imbattables. Tous les Anglais sont tués ou faits prisonniers, y compris John Bridgar, le gouverneur de la colonie. Tous les forts sont brûlés et d'énormes quantités de fourrures récupérées. Les chefs de l'expédition repartent directement pour la France afin d'y faire juger l'aventure par le roi, car les Anglais se plaignent ouvertement de trahison.

À Versailles, les choses se compliquent. C'est Jacques d'York, frère du roi d'Angleterre et unique espoir de voir un jour le royaume revenir au « papisme » puisqu'il est le seul catholique de la famille, qui crie le plus fort. Il a en effet investi beaucoup d'argent dans la Compagnie d'Hudson.

Louis XIV, privé des conseils de Colbert récemment décédé, s'en tire à la manière d'un Salomon pris de boisson. Des Groseillers reçoit l'ordre de retourner à Québec finir ses jours avec une prime assez confortable, et l'indispensable Radisson est prié de reprendre du service chez les Anglais !

Durant ces palabres, les fourrures du butin ont disparu. En 1684, Radisson arrive sur les lieux qu'il a auparavant pillés et incendiés. Il ne reste qu'un fort sous le commandement de Jean-Baptiste Des Groseillers (le fils). Le jeune homme est tout heureux de voir arriver son oncle. Celui-ci l'embrasse et s'empare du poste et des fourrures. Il emporte tout à Londres : pelleteries, garnison, commandant.

L'année suivante, il revient en compagnie des mêmes qui ont signé un contrat avec l'Hudson's Bay Company.

Radisson et son neveu laissent les *facteurs* faire leur commerce et repartent en exploration. Il est à peu près sûr qu'ils sont les premiers à découvrir le Grand Lac de l'Esclave.

En 1687, ils sont tous deux naturalisés anglais.

Radisson meurt à Londres en 1710, dans une situation assez modeste, et la Compagnie doit verser 6 livres à sa veuve pour payer les obsèques.

Charles Laumet, dit « de Lamothe-Cadillac »

Il naît aux Laumets, près de Caumont, dans le Tarn-et-Garonne. On ignore ce qu'il a fait jusqu'à vingt-cinq ans, car il s'est ingénié toute sa vie à cacher sa jeunesse. On sait seulement qu'il a falsifié le nom de famille de sa mère pour justifier sa noblesse de rêve.

A vingt-cinq ans, il arrive en Acadie et s'installe à Fort-Royal. Déclarant s'appeler Charles de Lamothe-Cadillac, il s'engage auprès de François Guyon, un corsaire qui fait une escale de ravitaillement. Il navigue trois ans et apprend à connaître parfaitement les côtes de la Nouvelle-Angleterre.

A vingt-neuf ans, le 25 juin 1687, il épouse la nièce de son capitaine. Il obtient une vaste seigneurie de 25 miles carrés, soit 7 000 hectares, dont il ne cultive pas un pouce. Il fonde une société « secrète » avec Soulègre, commandant de la garnison de Port-Royal, et Mathieu de Goutin, commissaire principal, pour faire du commerce aussi bien avec les îles qu'avec les Indiens de l'intérieur.

Le gouverneur Méneval fait aussitôt savoir aux affidés que les officiers n'ont pas le droit de trafiquer. Les trois associés, furieux de voir leur secret ressembler à celui de polichinelle, s'en prennent aussitôt au gouverneur et lui font une guerre en règle, situation très habituelle en Acadie.

Ils essaient de monter l'Église contre Méneval. Devant l'échec de leur tentative, ils lèvent la population contre les prêtres et persuadent nombre d'habitants de ne plus payer la dîme. Le gouverneur fait un rapport très sec à la cour : « Ce dict Cadillac est le plus meschant esprit du monde et est seurement un estourdy chassé de France pour je ne sçay quel crime. »

En 1691, Cadillac quitte l'Acadie. Surchargé de dettes et précédé d'une très fâcheuse réputation, il arrive à Québec avec sa famille.

A Versailles, on pense que sa connaissance réelle de la côte anglaise peut être précieuse. On recommande donc à Frontenanc de l'aider. Celui-ci, sous le charme de la faconde et de l'humour du Gascon, ne demande pas mieux. L'histoire de la dîme l'a ravi, car lui non plus ne porte pas un amour exagéré aux jésuites.

Il le nomme lieutenant des troupes de la marine. En 1692, le nouvel officier entreprend une reconnaissance complète des côtes ennemies avec le cartographe Franquelin. L'année suivante, il est nommé capitaine en remerciement : l'année suivante, encore, commandant de Michillimakinac, le plus important fort de l'Ouest. Il y reste trois ans et embrouille assez bien les affaires entre Indiens du Nord et du Sud, mais s'assure un fructueux trafic de fourrures dans lequel Frontenac a sa part.

Arrivé sans autre ressource que sa paie d'officier (1 080 livres par an), Lamothe-Cadillac envoie en France pour 30 000 livres de lettres de change. Une étude de ses comptes montre qu'il ne s'agit là que d'une part de ses bénéfices. Il trafique également l'eau-de-vie sur une échelle énorme et exploite les coureurs des bois obligés de passer par le fort en les taxant lourdement. Nul ne se plaint, sachant bien que le « commandant » est très proche de Frontenac. Le marché de la fourrure acquiert un tel développement que les ports français en sont saturés. C'est l'époque où Louis XIV ordonne d'annuler tous les trafics jusqu'à nouvel ordre. Une telle politique, en dehors de toute autre considération, réduit d'emblée tous les Indiens à la famine ou bien au commerce avec les Anglais puisqu'ils ne savent plus vivre que de la traite.

Charles Laumet, ou Lamothe-Cadillac, comme on voudra, en profite pour arriver à Québec avec un chargement de 176 000 livres de fourrures. Frontenac et lui ont une longue conférence, puis Cadillac part pour la France « expliquer » son plan, car il a un plan, tout comme le célèbre Trochu.

Le Gascon fait du charme, de l'esprit (il en a beaucoup), flambe, projette si bien que la cour prête sérieusement attention à la création de Détroit, non pas un fort ni un comptoir, mais une ville capable d'attirer les colons, les Indiens, et de former un véritable verrou aux prétentions anglaises dans la région.

Après les classiques hésitations des bureaux, Pontchartrain lui accorde en 1700 la liberté d'agir. Un an après, Cadillac arrive à Détroit et se met à l'ouvrage. Ses premiers rapports sont enthousiastes.

En 1703, Rigaud de Vaudreuil est nommé gouverneur de la Nouvelle-France. C'est aussitôt la guerre entre les deux hommes. Le gouverneur, descendant d'une très ancienne famille d'épée, méprise l'inquiétant parvenu qui, de but en blanc, lui offre la forte somme pour le laisser continuer ses affaires.

Cadillac attaque avec des ruses de voyou et salit Vaudreuil de telle façon que Pontchartrain ordonne à ce dernier de laisser en paix « monsieur de Lamothe-Cadillac ».

Outaouais, Miamis, Iroquois ralliés viennent s'installer comme promis à Détroit, mais à cause de leur nouvelle proximité, ils en arrivent aux mains. C'est bientôt la panique en dehors des semaines de traite. Clarembault d'Aigremont, nommé enquêteur, envoie un rapport écrasant :

« Le dict Lamothe-Cadillac n'est qu'un aventurier qui ne voit qu'une politique, celle de sa bourse. Sa colonie de Détroit dont il se vante tant dans ses rapports à la cour ne compte que 62 colons, quelques centaines d'Indiens très ennemis les uns des autres. 353 arpents [247 ha] sont en culture, tout le monde y vit dans la haine et la méfiance. »

L'enquêteur a découvert aussi que Cadillac fait de la contrebande de fourrure avec le Mississipi. S'il réussit, c'est évidemment une hémorragie dont la Nouvelle-France ne se relèvera pas. Pontchartrain ne peut le désavouer brutalement après l'avoir si

longtemps soutenu. Il le nomme gouverneur de la
Louisiane, le 5 mai 1710.

La Lousiane, fondée dix ans plus tôt, ne compte
que 400 habitants qui ont bien du mal à survivre sur
la côte, alors que la Nouvelle-France est maintenant
peuplée de près de 40 000 personnes.

Cadillac arrive en France. Il lui faut de l'argent
pour sa nouvelle colonie. Pontchartrain l'envoie
convaincre Antoine Crozat, le plus riche financier du
moment. Cadillac se surpasse, et le financier accepte
de mettre 700 000 livres dans l'aventure.

Cadillac débarque en Louisiane en 1713. Comme
il faut s'y attendre, il s'occupe activement de sa
fortune. On le soupçonne très fortement d'avoir
même caché la découverte de mines pour se les
approprier. Il fait tant que, l'été 1717, Cadillac et sa
famille s'embarquent à Mobile. En France, il est mis
à la Bastille en compagnie de son fils aîné. Il y
demeure cinq mois, puis se justifie. Il reçoit alors la
croix de Saint-Louis et on lui paye ses arriérés de
solde.

Il tente un retour à la colonie, mais le refus est
unanime. Après trente-quatre ans d'Amérique, il
achète la charge de gouverneur de Castelsarrasin
dont il étonne les habitants par son faste. Il meurt en
1730.

Durant son commandement à Michillimakinac, il
a passé ses hivers à écrire un livre assez surprenant
dans lequel il démontre que les Indiens de l'Ouest et
les Juifs ont des liens raciaux très étroits.

Lorsque, beaucoup plus tard, les habitants de
Détroit voudront honorer le fondateur de leur ville,
ils donneront ce qu'ils croient être son nom à la plus
fastueuse des automobiles qu'ils fabriquent.

10/ *Une nouvelle patrie : la guerre*

Louis XIV est maintenant Louis le Grand. Qui pourrait lui résister ? Quand Talon rentre en France en 1672, Louis XIV franchit le Rhin pour faire la leçon aux Hollandais. Charles II, le roi des Anglais, est — provisoirement — du côté des Français dans cette guerre de Hollande qui se terminera par un nouveau succès pour le maître de l'Europe.

On ne parle plus de l'or et des diamants de Jacques Cartier. On ne parle plus que de la route vers l'Asie. Les colonies sont devenues une affaire sérieuse. Colbert y veille. Les Antilles ne doivent pas faire oublier les fourrures et la pêche du froid Canada.

Des Grands Lacs jusqu'aux quatre coins de l'Amérique, les exploits des Marquette, Jolliet et Cavelier flattent le Roi-Soleil. De Québec à la Louisiane, c'est un continent immense. Pour le maîtriser, il faut des écus, beaucoup d'écus. Or, notre monarque est d'autant plus impécunieux qu'il a pris goût aux aventures militaires.

A Québec, l'heure est néanmoins à la grandeur, quand arrive le gouverneur de Frontenac.

DES GOUVERNEURS DE TOUTES SORTES

Louis de Buade, comte de Frontenac de Palluau, né le 22 mai 1622 après la mort de son père, a pour parrain Louis XIII. Sa famille est connue dans le Périgord depuis le XIIIe siècle. Après de très solides études chez les jésuites, il choisit le métier des armes. Il est nommé colonel (maître de camp) en 1643, au régiment de Normandie. En 1646, au siège d'Orbitello, il est blessé et mutilé du bras droit, une infirmité qui ne l'empêchera toutefois pas d'écrire. Il devient alors général de brigade (maréchal de camp). Lorsqu'il n'est pas « aux armées », Frontenac vit à la cour où il s'endette comme tous ses pareils. En 1648, il épouse secrètement Anne de La Grange, fille d'un très riche maître des requêtes, qui lui donne un fils en 1651. Il participe à la Fronde tantôt dans un camp, tantôt dans l'autre, puis en 1669, complètement décavé, il part combattre les Turcs comme lieutenant général des troupes de Venise.

Un gouverneur trop autoritaire

Enfin, en 1672, il obtient la charge de gouverneur de la Nouvelle-France, une charge qui lève toutes les saisies et interdit le recouvrement des dettes durant la durée de la fonction. Parfait produit de Versailles, vaniteux, dépensier, intelligent et courageux — exactement ce que Louis XIV, qui se souvenait de la Fronde, avait voulu faire de sa noblesse — il n'a pas un extrême amour de l'aventure.

Quand il arrive à Québec, il est âgé de cinquante

ans. Comprenant tout de suite l'intérêt de la traite, il fait bâtir le fort Cataracoui, sur le lac Ontario. Les habitants s'inquiètent, car ils craignent avec quelque raison que Frontenac ne détourne les fourrures à son profit. Frontenac n'en a cure. Il se passionne pour le pays qu'il doit diriger. Deux fois par semaine, il a conférence avec des coureurs des bois et rien ne peut lui procurer plus de plaisir qu'une carte exacte.

Il est préférable de ne pas lui « agacer les oreilles ». En 1673, il fait arrêter le gouverneur de Montréal, François-Marie Perrot, ainsi que l'abbé Fénelon qui le critique en chaire. On en défère au roi. Colbert enraye le pouvoir de Frontenac en rendant le Conseil souverain autonome. Il en faut plus pour émouvoir le gouverneur, qui continue d'arrêter ceux qui le gênent : un jour, le greffier du tribunal; un autre, un juge de Montréal. Il fait même exiler le procureur général, Ruelle d'Auteuil, et deux conseillers.

Entre temps, il s'est intimement lié avec Cavelier de La Salle et lui a fourni tous les moyens nécessaires pour organiser la traite au sud des Grands Lacs. De même il s'intéresse au projet de Lamothe-Cadillac et soutient en sous-main tous les coureurs des bois susceptibles d'apporter une découverte ou un nouveau marché de fourrure. Les Outaouais qui perdent ainsi leur quasi-monopole s'allient alors aux Iroquois. En 1682, Frontenac est rappelé en France.

Un gouverneur vite oublié

Le Febvre de La Barre lui succède. Complètement dépassé par les événements, il en est réduit à accepter les conditions de paix des Iroquois ! Louis XIV est assez chatouilleux sur ce chapitre. Il le rappelle aussitôt et expédie Brisay de Denonville à sa place avec un corps de troupe.

Un gouverneur très vertueux

Jacques-René Brisay de Denonville est un noble de très haute lignée dont les ancêtres directs furent commissionnés par Charles le Chauve pour combattre les Normands. Il est probablement le meilleur officier de l'armée de Louis XIV. C'est dire qu'il est un homme de courage, de devoir et de consigne.

Il arrive à Québec dans de très mauvaises conditions. La traversée a été catastrophique. Sur les 400 hommes de renfort qui l'accompagnaient, 60 sont morts et 80 mourants. Il y a plus de 300 malades des fièvres à l'hôtel-Dieu.

Le premier de tous les gouverneurs, il commence par inspecter la colonie en détail. Il trouve les seigneuries réparties sans ordre, sans efficacité tactique. Les jeunes Canadiens lui paraissent robustes et pleins d'allant. Il estime cependant que leur fréquentation continuelle des Indiens leur donne des mœurs déplorables et les décrit comme débauchés (paresseux), indisciplinés, et sans aucun respect pour l'autorité quelle qu'elle soit.

Il s'élève contre l'ivrognerie, travers apparemment assez répandu dans la colonie. En fait, les Canadiens ne boivent pas plus que les autres habitants des climats rigoureux. Aveuglé par le sens du devoir, Denonville ne le sait pas, ne veut pas le savoir. On est très strict sur la morale dans l'armée du Roi-Soleil. Il fait mettre au pilori ou fouetter quelques joyeux lurons coupables d'aimer la vie en liberté. Quant aux coquins ils se transforment aussitôt en autant de tartufes aux allures édifiantes.

Il envoie une expédition à la baie James. Trois forts anglais sont pris et 50 000 peaux de castor rapportées à Québec. Les Canadiens qui assurent l'opération doivent effectuer 4 000 km à pied.

En juin 1687, il organise une vaste opération contre les Agniers et les commerçants anglais qui tentent de se faufiler chez les Outaouais. Pour la première fois, les Britanniques, guidés par des Canadiens renégats, effectuent une vraie sortie en dehors du territoire de la Nouvelle-Angleterre. Denonville a réuni 832 soldats, 900 miliciens et 400 Indiens d'élite. Les Anglais sont pris et les renégats fusillés. Les Agniers s'enfuient. On détruit leurs réserves et leurs villages. On capture des Iroquois pour les envoyer ramer sur les galères en Méditerrannée. Ils ne nous le pardonneront jamais.

Le massacre de Lachine

Les Anglais d'Albany vont bientôt reprendre les hostilités. Les Iroquois apprennent la nouvelle que les Canadiens ne connaissent pas encore et, se sentant dans leur bon droit, tombent sur la Nouvelle-France à tomahawk raccourci. C'est l'abominable massacre de Lachine, à l'extrémité de l'île de Montréal. Le 4 août 1689, 1 500 guerriers attaquent par surprise. Bilan : 24 colons sont tués, 90 faits prisonniers, 48 sont torturés et mangés, 42 sont échangés après quelques mois. Sur les 77 maisons du bourg, 56 sont rasées.

Sous la pression iroquoise, on abandonne le fort Niagara, puis le fort Frontenac.

Denonville est très impressionné par les qualités combatives des Canadiens. Pour les récompenser, il décide de les policer et de les embrigader. Il s'étonne vivement du peu de succès de sa politique.

Lors de son départ en 1689, plus de six cents jeunes gens vivent dans les bois. Si l'on ne peut pas encore parler d'une résistance, c'est déjà une fuite. Sa présence maladroite a fait naître le sentiment national canadien qui finira un jour par être presque anti-français.

Frontenac est revenu

Pendant ce temps, de son côté, Frontenac a intrigué autant qu'il lui était possible pour se rapprocher de la riche Amérique. Il est chargé d'une expédition contre New York. Elle n'aboutit pas. Finalement le roi ayant besoin de tous ses officiers d'élite le remet en selle.

Il est de retour à Québec le 12 octobre, un mois et demi après la tragédie de Lachine. Les Canadiens ne sont pas très satisfaits de voir revenir le « vieux ronchon », si affamé d'écus. Ils font contre mauvaise fortune bon cœur.

Frontenac, tout heureux de se retrouver au Canada, n'entend pas voir Anglais et Iroquois lui gâcher son plaisir et sa fortune. Évidemment rempli de défauts, il n'en est pas moins un véritable officier général, capable d'évaluer une situation et d'y faire face.

Sus à l'Anglais et à l'Iroquois

Quatre mois après son arrivée, en janvier 1690, il contre-attaque en plein hiver. Faisant confiance aux

Canadiens, il organise trois expéditions contre les établissements de Schenectady, Salmon Falls et Fort Loyal. Cette épopée réellement surhumaine se termine par un triomphe. La terreur se répand en Nouvelle-Angleterre. Les Iroquois, qui croyaient les Anglais invulnérables, s'inquiètent subitement.

Les Britanniques imaginent alors de sauver la face et leurs postes avancés grâce à un plan de grande envergure : les milices et les Iroquois attaqueront Montréal, tandis qu'un corps de débarquement parti de Boston s'emparera de Québec. C'est compter sans la petite vérole qui immobilise les fantassins au sein d'une indescriptible pagaille. A cause de l'épidémie que les Anglais accusent les Français d'avoir « semée », les marins arrivent seuls.

Frontenac, dont la mauvaise humeur naturelle s'accommode fort bien de cette situation, renvoie l'Anglais venu innocemment demander la reddition : « Je n'ay point de réponce à faire à vostre général que par la bouche de mes cannons et à coups de fuzils. »

Les Anglais venus là pour prendre une ville aux abois débarquent sur les battures de Beauport, face à Québec. En trois jours, ils perdent deux cents hommes et quelques prisonniers. Ils repartent sous les huées. On ne les reverra plus avant soixante-dix ans. Alors, d'un coup, le comte de Frontenac laisse éclater un génie assez bien caché jusque-là. Sans troupes réglées pour inquiéter sérieusement la Nouvelle-Angleterre, il décide la guérilla à outrance. Sus à l'Anglais et à l'Iroquois où qu'il se trouve. Les petits commandos de chasse se lancent aussi dans l'exploration, élèvent des forts, nouent des alliances.

A la découverte des écus

En même temps, Frontenac favorise de son mieux la progression vers l'ouest et le sud. On découvre la Grande Prairie, à l'ouest du lac Winnipeg, les Illinois, les Miamis, etc. On dépasse à l'ouest les sources du Mississipi. C'est un éclatement sans précédent. Seuls les Outaouais se plaignent, mais beaucoup moins fort depuis que Frontenac est revenu. En 1696, alors qu'il entre dans sa soixante-quatorzième année, il organise une grande opération de nettoyage du pays iroquois. 2 250 hommes sont réunis sous le commandement effectif de Vaudreuil. Frontenac est de la partie et va traverser avec les Canadiens 1 200 km de forêts et de lacs. Il fait tous les portages en chaise à porteur ! Comme à leur habitude, les Iroquois sont introuvables. On brûle leurs villages, leurs récoltes, leurs réserves. On s'empare de tout ce qu'il est possible de piller, à commencer évidemment par leurs fourrures réservées au commerce anglais. On revient en parcourant 1 200 km dans l'autre sens avec un seul prisonnier, un vieux chef onontagué, trop faible pour fuir. Frontenac en fait cadeau aux Indiens de sa troupe, ceux des missions, qui le brûlent à petit feu sans que le vieillard ne consente même à lever les yeux sur ses bourreaux.

Il continue à favoriser Cavelier de La Salle, Lamothe-Cadillac, bref, tous les hommes capables de pousser plus loin les couleurs françaises en même temps que lui rapporter de l'argent. En fait, n'en doutons pas, la cupidité est le grand moteur de ce gouverneur hors mesure. Frontenac est le seul à se moquer éperdument des ordres de Louis XIV qui, arrivant chaque année par pleine valise, lui enjoignent d'abandonner la découverte et la traite, car il y a à présent pléthore de fourrures en France. Il a sa vision du Canada, une vue très juste des possibilités qu'offre ce continent, pour plus du tiers encore vierge.

DES COMBATTANTS INFATIGABLES

Enfin en 1698, alors que la France vient de signer la paix de Ryswick, les Iroquois, qui ont perdu près de 2 000 guerriers au cours des neuf dernières années, décident de cesser les combats. Sur les ordres de Frontenac, Le Moyne d'Iberville fonde la Louisiane. La boucle est fermée. Si les monarques français le veulent, les Anglais sont enfermés à jamais derrière les Appalaches.

Le 28 novembre 1698, Frontenac meurt. Sous son règne, la guérilla a continué de même que la découverte. Combattants infatigables, Canadiens comme Iroquois s'y illustrent. A présent les habitants de la Nouvelle-France sont environ 15 000.

La Chaudière noire

Il naît vers 1642 chez les Iroquois Onontagués. C'est un jeune guerrier très actif durant la guerre de 1664-1665. Il ne supporte pas bien les dix-sept années de paix qui suivent et, faute de Français à mettre au bout de son fusil, s'en va guerroyer chez les Sioux et les Illinois. Il en tire tant de gloire et de richesse qu'en 1682, le voici chef de sa nation. Il pousse alors à la reprise des hostilités.

En 1683, il ramène à Montréal quatre prisonniers

outaouais rachetés par le gouverneur François-Marie Perrot. Celui-ci reçoit assez mal le chef iroquois dont le kidnapping et les rançons paraissent être la spécialité. Pour se venger de ce qu'il considère être un affront, la Chaudière noire pille le fort de Frontenac en repartant chez lui. Il l'attaque à nouveau en septembre 1687. Un an plus tard, « doux come un agnel », il fait partie de la délégation de la paix envoyée auprès de Brisay de Denonville.

En août 1691, à la tête de 600 guerriers, il se jette sur les villages isolés dans l'île de Montréal. Les Montréalistes — ils sont 150 et autant d'indigènes algonkins — contre-attaquent. La Chaudière noire est défait. Avec quelques survivants, il s'enfuit dans les bois. Jamais les Iroquois n'ont subi une telle défaite.

Au printemps suivant, la Chaudière noire a reconstitué une bande de 140 guerriers et s'en prend aux Français qui veulent passer de Québec aux Grands Lacs, dans les deux sens.

Le 15 juillet, il enlève 3 enfants indiens et 14 habitants occupés à faire sécher les foins. Un commando de 26 hommes indiens et français lé prennent en chasse et le rejoignent au Long Sault. On ne retrouve que 9 Français vivants et les 3 enfants. Une vingtaine d'Iroquois sont morts, autant sont faits prisonniers, dont la femme du chef qui réussit à s'enfuir à la nage.

L'année suivante, sous prétexte de chasse, la Chaudière noire s'approche de nouveau du fort Frontenac. Il fait annoncer à l'officier en charge, Dufrost de La Jemmerais, que les anciens de son peuple sont en route pour Québec pour signer la paix. C'est vrai mais personne ne le croit. Le vieux chef a lassé toutes les confiances. Tandis qu'il va courir le cerf vers la baie de Kenté, un parti de 34 jeunes Algonkins dont les parents ont eu beaucoup à souffrir de l'Iroquois se mettent en campagne. Ils le capturent avec la moitié des siens. Tous sont tués et mangés, y compris la nouvelle épouse de la Chaudière noire. Les autres disparaissent. On en retrouvera jusque sur la rivière Hudson.

Pierre Le Moyne d'Iberville

Troisième fils de Charles Le Moyne, il a deux sœurs et onze frères : ils seront tous soldats au service de la Nouvelle-France. Né à Montréal le 20 juillet 1661, Pierre Le Moyne est un héros de légende plus canadien que nature. Il sait tout faire : monter des embuscades, marcher des centaines de kilomètres en raquettes par un froid polaire, et peut mener un canot comme le meilleur des pisteurs indiens. Il est, de plus, l'un des plus fins capitaines de vaisseau de la marine de Colbert. Il est également redoutable en corps à corps. On lui reprochera (après sa mort) d'être très peu accessible à la pitié, mais c'est un luxe que ne peut se permettre un homme qui se battra toujours à un contre trois, parfois plus.

Il fait sa première vraie campagne en baie d'Hudson. Partis de Québec en canot et à pied, les Canadiens connaissent 85 jours terribles avant de parvenir à la rivière Moose. Ils s'emparent du fort édifié sur la rive en moins d'une heure. A cette occasion, Pierre Le Moyne entre le premier et les Anglais referment la porte. Il doit ferrailler avec les défenseurs jusqu'à ce que ses compagnons ouvrent une brèche, opération qui prend plusieurs minutes. Après avoir garrotté les prisonniers, les Canadiens se jettent sur la cuisine. Voilà six jours qu'ils ont fait leur dernier repas.

En neuf jours, les quatre forts anglais de la baie sont pris et rasés, le vaisseau du gouverneur capturé. Pierre Le Moyne organise la présence française dans la baie avec seulement 40 hommes.

Il revient en France, où le roi le charge de débloquer l'Acadie. Il accomplit sa mission en une seule campagne, puis s'en va ravager Terre-Neuve. Il y fait plus de 700 prisonniers et en remporte 200 000 quintaux de morue.

De retour à la baie d'Hudson avec un petit bateau, le *Pélican,* il coule deux des trois navires anglais venus pour disputer la traite aux Canadiens. Il débarque, s'empare du fort York, le dernier poste britannique. Chargé de gloire et de butin, il revient alors en France.

En 1698, il crée la Louisiane. Dans cette entreprise, Tonty l'aide beaucoup. En 1700, lors de son second voyage, il fait édifier le fort Mississipi, sur le fleuve du même nom, en amont de Biloxi. En 1705, Louis XIV le commissionne pour mener une guerre d'usure contre les Antilles anglaises. Avec 2 000 hommes embarqués sur 12 vaisseaux, il s'empare de Nevis, Charlestown. Il détruit tout sur son passage, capture 1 700 habitants et plus de 6 000 esclaves. La terreur se répand dans les caraïbes.

Pierre d'Iberville meurt en pleine gloire, sans doute de la fièvre jaune, à La Havane le 9 juillet 1706.

Daniel Greysolon Dulhut

Il naît en 1639, à Saint-Germain-Laval, dans la région lyonnaise. C'est un soldat qui a été successivement écuyer, enseigne et gendarme de la maison du roi, un corps d'élite. Après la formidable bataille de Seneffe, le 11 août 1674, où 100 000 Français défont les Hollandais de Guillaume d'Orange, Dulhut quitte la « carrière » pour aller au Canada qu'il a déjà visité deux fois. Deux de ses parents sont installés en Nouvelle-France : son oncle, Jacques Patron, et son beau-frère Lussigny, officier proche de Frontenac.

Il s'installe à Montréal et fréquente assidûment les Indiens avec lesquels il sait toujours trouver un terrain d'entente. Il apprend leur langue. Ses relations sont si bonnes que ces derniers lui offrent trois esclaves.

Les terres inconnues de l'Ouest l'attirent. C'est l'époque où Colbert, soucieux de peupler intensivement la colonie, interdit les voyages au-delà des limites des postes. Dulhut quitte secrètement Montréal, avec — est-il besoin de le préciser ? — l'accord de Frontenac, le 1er septembre 1678. Il part, accompagné de sept Français et de ses trois esclaves qui, par reconnaissance, ne le quittent pas d'un mocassin, car ils devaient agrémenter le menu des dernières fêtes du printemps.

Il hiverne au sault Sainte-Marie et, le printemps suivant, fonce vers l'ouest. Il élève plus de vingt *otems* portant les armes du roi de France, visite plus de soixante tribus et invite chacune d'elles à envoyer des délégués pour une grande assemblée qui doit se tenir en septembre à Michillimakinac.

A l'automne, 1 700 délégués se présentent. Dulhut leur fait signer la paix, la reconnaissance de la souveraineté française et, pour parfaire l'ensemble, favorise les mariages entre clans en dotant les fiancés. C'est un triomphe.

Trois de ses compagnons partis avec les Sioux reviennent un an plus tard. Ils apportent du sel qu'ils ont ramassé sur les bords d'un vaste lac situé à plus de vingt jours de marche à l'intérieur des montagnes de l'Ouest. Il faudra longtemps pour que l'on comprenne qu'ils ont découvert le Grand Lac Salé.

Le père Hennepin et trois hommes de Cavelier ont été réduits en esclavage par les Sioux. Dulhut les rachète. Il apprend alors qu'il est calomnié autant qu'il est possible par l'intendant Duchesnau. Il retourne en France où il se justifie assez facilement. Cependant, à la cour, les amis de Cavelier le considèrent comme un concurrent et sabotent ses projets.

En 1682, le voici de nouveau au Canada. Frontenac est parti. Lefebvre de La Barre l'a remplacé. Dulhut est assez fin pour entrer dans ses bonnes grâces. Il repart chez les Indiens de l'Ouest qui l'accueillent comme un potentat.

Il faut dire que Dulhut est un homme de fer. Il n'hésite pas à faire fusiller sur le front des troupes et l'assemblée indienne du Michillimakinac les responsables d'un crime, Canadiens et Indiens mêlés. Ce genre de justice plaît énormément aux indigènes qui l'aident à fonder deux postes, l'un sur les rives du lac Nipigon, l'autre à Kaministiqua, à l'extrémité ouest du lac Supérieur. Il en confie le commandement à son jeune frère, Claude Greysolon de La Tourette, puis se livre à un intense trafic de fourrures. Le nouvel intendant Jacques de Meulles pousse alors des hauts cris et l'accuse de tous les crimes imaginables. Dulhut se justifie par une simple lettre et réunit plus de 600 guerriers pour aller prêter main-forte à Niagara aux Français de De La Barre.

Brisay de Denonville fait plusieurs fois appel à

cette espèce de vice-roi de l'Ouest, en particulier pour la création de Détroit et du poste de Toronto.

En se rendant à Québec avec son escorte, il surprend un puissant parti de guerre iroquois au lac des Deux-Montagnes. La bataille est courte, mais sévère. Tous les envahisseurs sont tués ou capturés. On ne ramènera pas de prisonniers, car il n'y a que 11 Français sur les 150 hommes de l'escorte.

Son action dans la région de la baie d'Hudson est si importante que les Anglais affirment qu'il leur a fait perdre 200 000 livres sterling au cours de ses campagnes.

Il meurt en 1710 à Montréal. Sa fortune est immense. Son testament n'est qu'une longue suite de legs importants aux récollets, à la congrégation Notre-Dame, à son domestique, à ses amis. Il ne laisse rien aux jésuites qu'il tient pour responsables des calomnies dont il fut l'objet.

François Hertel, « le Héros du Canada »

Il naît en 1642 à Trois-Rivières. Son père meurt en 1652. Le jeune garçon est apparemment destiné à la vie laborieuse de colon. Or, quelques semaines après le décès de son père, a lieu la grande attaque iroquoise contre Trois-Rivières. Presque tous les hommes sont tués. François, qui a dix ans, ramasse un fusil sur un mort et tue l'Indien bariolé qui posait la main sur le bras de sa mère Marie-Marguerie. Femmes, enfants et vieillards reprennent courage. Les Indiens disparaissent.

A quinze ans, François Hertel est noté comme soldat sur le registre du bourg, c'est-à-dire que sous la férule de Pierre Boucher il fait l'exercice et monte la garde, tout en cultivant les terres familiales. Durant cette période, il participe à huit combats de défense contre les Iroquois. Ceux-ci attaquent toujours à partir d'une île boisée très proche de la rive. François Hertel se la fait adjuger, la déboise et y plante du blé : désormais l'ennemi ne peut plus s'y cacher.

En juillet 1661, il a dix-neuf ans. Il sort imprudemment du village. Quatre Iroquois le capturent et le conduisent chez eux. Là, une vieille femme en fait son esclave et l'adopte. Il apprend leur langue, leurs coutumes, puis au bout de deux ans, en septembre 1663, réussit à s'échapper. Il surprend tous les Montréalais en arrivant, goguenard, sur le canot qu'il a dérobé dans sa fuite. Le 3 octobre, il est témoin du mariage de Guillaume Larue.

Il se marie l'année suivante à Montréal et retourne vivre à Trois-Rivières. Interprète, guide, il quitte chaque année sa terre pour participer à des opérations contre les Iroquois dont les attaques sont aussi régulières que le passage des oiseaux migrateurs.

Il accompagne Frontenac en 1673 au lac Ontario, participe à l'édification du fort Cataracoui. En 1678, il est envoyé sur les rives de la baie d'Hudson. Il en revient vainqueur l'année suivante, chargé d'une cargaison de castors prise aux Anglais. Le fisc, allié cette fois au Conseil souverain qui doit aussi avoir besoin d'argent, s'empare de la marchandise, le fait mettre en prison et lui inflige une amende de 2 000 livres. Sans preuve de commerce illicite, il est relâché.

Le voici de nouveau à Trois-Rivières. Moins rancunier que Radisson, il y mène une vie « tranquille » entre l'agriculture et la guerre saisonnière. En 1681, il confie l'éducation de ses enfants à un universitaire venu de Paris, Pierre Bertrand.

Lefebvre de La Barre lui donne le commandement de toutes les tribus alliées. Denonville le confirme dans cette charge et lui demande également de commander les milices de Trois-Rivières.

A peine nommé, Hertel met en pratique les idées qu'il a depuis longtemps sur ce sujet. Il lance la tactique « Hertel », inspirée des mœurs guerrières iroquoises : chacun son arbre. Attaque surprise, retraite rapide, mobilité extrême du ravitaillement et des munitions, un point sur lequel les Indiens ne sauront jamais progresser. Indiens alliés et milices s'entraînent ensemble avec acharnement.

Au bout de quelques mois, le résultat ne se fait pas attendre. Pour la première fois les Iroquois sont battus partout. Résolu à venger le massacre de Lachine, Frontenac, au retour de France, organise les trois fameux raids contre les établissements anglais qui équipent les Iroquois.

François Hertel commande un des trois partis de guerre. A la tête de 50 hommes (25 Indiens et autant de Français), il marche deux mois en plein hiver, manque de mourir de froid sur l'étendue découverte du lac Champlain. Le 27 mars, les hommes arrivent en vue de Salmon Falls. Il a tant neigé depuis quelques jours que les Français n'ont qu'à enjamber le sommet des remparts. La troupe se partage en trois groupes. Au commandement, ils foncent sur le fort comme sur le bourg fortifié. En deux heures d'un combat très rude, tout est conquis. Les Anglais ont 43 morts, 54 prisonniers, 27 maisons et le fort sont incendiés. ˉ2 000 têtes de bétail sont abattues. Il manque 2 Français et 3 Indiens. Les alliés sont si bien disciplinés qu'ils s'abstiennent de tout repas de victoire. Avant le lever du jour, la troupe a disparu.

Sur le chemin du retour, un éclaireur indien vient

l'avertir que plus de 200 Anglais, fous de vengeance, s'approchent rapidement. Hertel fait aussitôt embusquer ses hommes devant le pont que doit franchir l'ennemi, sur la rivière Wooster. Quand les Anglais sont serrés entre les parapets, il commande le feu. 20 Anglais sont tués à la décharge, les autres s'enfuient. Canadiens et Indiens volent sur la neige où s'empêtrent les soldats. Une dizaine d'entre eux sont tués, autant faits prisonniers. Louis Crevier est tué et le fils de Hertel, Zacharie, reçoit une balle dans le genou qui le laisse définitivement infirme. Cet accident n'empêchera pas « le Boiteux » de participer aux innombrables combats qui suivront.

Hertel laisse les prisonniers à quelques gardes, envoie Gastineau à Québec pour annoncer la victoire et, avec le reste de sa troupe, fonce vers Casco (Falmouth) pour prêter main-forte aux Québécois, sous la conduite de Robineau. Son arrivée transformera la victoire de Robineau en écrasante défaite pour les Anglais.

A partir de cette époque, François Hertel, qui demeure persuadé que seule la force peut arriver à bout de l'opiniâtreté adverse, se bat partout avec un égal succès. Son nom fait réellement trembler les Anglais et leurs alliés iroquois.

Il commande le fort Frontenac, fait participer onze fois les milices de Trois-Rivières à des opérations victorieuses. A un moment donné, pendant deux ans, Hertel et ses sept fils servent en même temps.

Six ans avant sa mort, on lui donne des lettres de noblesse. Il est enterré en 1716 à Boucherville, dans le phalanstère de son maître et ami Pierre Boucher.

Madeleine de Verchères

Elle est née en 1678 dans la seigneurie de son père, officier du régiment de Carignan-Sallières. La Seigneurie de Verchères se trouve sur la rive droite du Saint-Laurent, un peu en aval de Montréal, et donc sur le traditionnel chemin d'invasion des Iroquois qui descendent du Richelieu.

La seigneurie comporte un fort, c'est-à-dire une palissade entourant une maison et une redoute, une sorte de blockhaus où l'on peut résister en dernier ressort.

Le 22 octobre 1692, M. et Mme de Verchères sont en voyage à Québec. Dans le « fort », il y a Madeleine, quatorze ans, son frère Pierre, douze ans, Alexandre, huit ans, un domestique de quatre-vingts ans et deux soldats assez peu aguerris. Il y a aussi trois femmes de censitaires et leurs enfants. Comme on craint du mauvais temps, Madeleine, accompagnée d'un certain Laviolette, sans doute un des soldats, s'en va inspecter les attaches des barques sur la rive du fleuve, à un peu plus de cent mètres du fort. Soudain, un coup de feu éclate. Une femme du fort hurle : « Les Iroquois sont sur nous ! ».

A l'orée d'un bouquet d'arbres, apparaissent des guerriers hostiles, le visage peint. Ils sont à peine à deux cents mètres. Aussitôt, la jeune fille se précipite, bientôt dépassée par le soldat. Malgré son avance, elle est rejointe par un Indien qui la prend par son mouchoir de cou. Elle le lui abandonne et se jette derrière la porte qu'elle referme d'un coup de talon. Il semblerait que l'Iroquois lancé reçoive le montant en pleine figure et tombe assommé. A l'intérieur du fort, tout le monde geint. Quant aux deux soldats, ils se sont cachés dans la redoute. Ils veulent faire sauter le fort et s'enfuir dans la forêt. Madeleine remet de son mieux tout le monde dans son devoir. Elle fait tirer le petit canon du fort pour avertir les domaines voisins et appeler au secours. Elle organise la défense, tire quelques coups de feu de principe sur les Iroquois qui se tiennent prudemment hors de portée. Le reste de leur bande a capturé quelques colons dont on entend les hurlements.

Arrive alors un canot : c'est le sieur La Fontaine et sa famille retour de Montréal. Comment les prévenir ? Personne n'osant sortir, la petite de Verchères enfile une casaque militaire, coiffe un casque et, fusil au bras, s'en va chercher les voyageurs. Elle les conduit au fort en passant à cinquante pas du premier Indien éberlué. Ils avoueront plus tard avoir cru à une ruse.

Les femmes, La Fontaine et sa famille, de même que les deux soldats s'enferment dans la redoute. Madeleine de Verchères reste seule en compagnie de ses deux frères et de son vieux serviteur. Ils organisent la défense avec leurs pauvres moyens. Toute la nuit, ils veillent et échangent le cri des sentinelles : « Tout est bien. ». Parfois, ils tirent sur une ombre. Les Iroquois se demandent s'il faut continuer le siège d'un fort aussi bien défendu.

Au milieu de la nuit, brouhaha. Les bêtes à cornes lâchées depuis le matin veulent forcer la porte pour rentrer dans leur écurie, car le temps s'est brusquement gâté. Les assiégés font rentrer un à un les animaux, de peur que les Indiens ne se cachent parmi eux.

Dans la journée suivante, la jeune fille, légèrement inconsciente, se souvient qu'elle a laissé sécher le linge de la famille sur la prairie, en bordure du fleuve. Elle va le chercher avec ses deux frères, sous la surveillance des Indiens méfiants qui s'attendent constamment à voir fonctionner le piège qu'on leur tend avec tant d'insistance. Ils tentent deux assauts de suite, qui sont facilement repoussés.

En fin d'après-midi, arrivent M. de la Monnerie, lieutenant, et quarante hommes des troupes de Montréal. Ils sont convaincus qu'ils vont donner une sépulture décente aux restes mutilés des défenseurs. A leur vue, les Iroquois déguerpissent. Deux colons ont été tués, deux autres sont libérés. Plus tard, les Indiens reconnaîtront qu'ils ont perdu cinq des leurs. Il ne faut pas s'étonner de ces aveux, car il était tout à fait naturel de discuter des pires choses entre deux combats.

Voilà ce que l'on peut dire d'à peu près certain sur l'aventure de Madeleine de Verchères. Il a fallu une étonnante fermeté pour faire front à ces guerriers épouvantables. Pour le reste, on a écrit plus de dix biographies de Mlle de Verchères en ajoutant à chaque fois des détails rocambolesques qui font de la malheureuse une sorte de Zorro tout à fait dépourvu de crédibilité.

Coïncidence étonnante : quinze ans plus tôt, la même aventure était arrivée à sa mère. Le combat fut beaucoup plus sanglant, mais on n'en a jamais parlé.

Jean-Vincent d'Abbadie de Saint-Castin et ses fils

Né à Saint-Castin en 1652, il appartient à la vieille noblesse béarnaise. C'est un cadet pauvre qui, grâce à sa naissance et à son éducation, est enseigne au régiment de Carignan-Sallières lorsque celui-ci débarque à Québec. L'enseigne de Saint-Castin sert dans la compagnie de Chambly. Il a treize ans.

En 1666, il participe à la campagne de Tracy contre les Iroquois. En 1670, toujours enseigne, il accompagne le capitaine Andigué de Grand-Fontaine, nouveau gouverneur de l'Acadie qui vient d'être rendue à la France par le traité de Breda.

L'Acadie est une terre vierge, pratiquement aussi grande que la France. Seuls quelques points de la côte sont sporadiquement occupés. Le jeune homme s'enthousiasme pour ce très beau pays qu'il va sillonner durant quatre ans avec des Indiens Abénaquis comme seuls compagnons.

En 1674, il se bat contre des Bostoniens alliés à des pirates hollandais. Il est fait prisonnier et torturé une journée entière. Il s'échappe la nuit. Quelques temps plus tard, le voici à Québec. Il fait un rapport détaillé de la situation au gouverneur Frontenac, qui le renvoie en Acadie avec la consigne d'engager les Abénaquis « à se mettre aux intérests du roy de France ».

Saint-Castin est de retour dans la tribu des Pantagouets. Il y est bientôt adopté et devient un véritable Abénaqui. La fille du grand chef pentagouet Madokawando, s'appelle Pidiwamiska en algonkin et Marie-Mathilde de son nom de baptême. Ils se marient religieusement en 1684, et voilà Marie-Mathilde baronne de Saint-Castin. Le baron, complètement indianisé, mène une féroce guérilla contre les Anglais.

A la mort de son beau-père, en 1698, il devient chef des Abénaquis. Il continue la guerre sur les frontières de la Nouvelle-Angleterre, à moins qu'il n'y fasse du commerce. Attitude qui lui est véhémentement reprochée par les commerçants canadiens. C'est que le baron raisonne en Abénaqui et qu'il voit d'abord les intérêts de son peuple.

En 1702, il arrive à Pau pour recevoir la succession de son frère aîné. Son beau-frère, le juge Jean de Labaig qui l'a manifestement spolié, enlise la succession de telle façon que même le roi ne peut rien faire. Le fabuleux chef abénaqui, qui chargeait l'Anglais revêtu d'un uniforme français très approximatif et la tête ruisselante de plumes, meurt épuisé de tracasseries en 1707. La baronne Marie-Mathilde l'attendra longtemps en compagnie de ses trois fils et de ses deux filles.

Son fils aîné, Bernard-Anselme de Saint-Castin, naît à Pantagouet en 1689. Comme son père ne revenait pas de France, le gouverneur de Brouillau fait appel à lui. Le jeune homme, qui étudie au collège de Québec, ne se dérobe pas. Il a quinze ans, son père avait commencé à treize.

Élevé dans sa tribu et sous la poigne formidable du baron, il se révèle tout de suite un personnage à la hauteur de la situation. Il réunit les guerriers de sa tribu et entame une guerre acharnée contre les Anglais. C'est bien sûr une guerre à l'indienne, sans concession, où l'on fait le minimum de prisonniers. En 1707, il participe si activement à la défense de Port-Royal qu'il est nommé enseigne. Il est blessé quelques jours plus tard et en profite pour épouser Marie-Charlotte Damours de Chauffours, fille du seigneur de Jemseg. En décembre, ses deux sœurs se marient le même jour, l'une avec Philippe Mins d'Entremont et l'autre avec Alexandre Le Borgne, de Belle-Ile.

Le 16 juin 1708, Bernard-Anselme est nommé lieutenant, avec le commandement des Indiens d'Acadie. La guerre des bois recommence de plus belle.

Il s'allie alors avec des corsaires de Saint-Domingue. En 1713, le traité d'Utrecht abandonne l'Acadie à l'Angleterre. L'année suivante, le jeune homme arrive au Béarn où, grâce aux soins de son bon oncle, il lui est tout aussi impossible de retrouver son héritage que son père en 1707.

Cette fois, on va même jusqu'à mettre en doute ses origines. N'est-il pas « sauvaige » ? Il meurt, écœuré, en 1720.

De son mariage, sont nées trois filles.

C'est au tour de Joseph de prendre la relève. Le troisième baron est, comme ses aînés, chef de sa tribu et officier français. Malgré ses titres, il ne quitte pas sa tribu et ne garde qu'un ceinturon et une paire de pistolets dont il se sert fort adroitement pour se distinguer des autres guerriers.

Bien plus abénaqui que canadien, il n'abandonne pas le parti de la France. Il refuse le traité d'Utrecht et part en guerre contre les Anglais, ce qui ne l'empêche pas de commercer avec eux en période de trêve.

De 1726 à 1746, il est le bastion vivant de la Nouvelle-France. Sa tête est mise à prix. Les Anglais, ou plutôt un de leurs généraux, lui font cadeau d'un lot de couvertures qui viennent d'un hôpital où l'on envoie mourir les malheureux atteints de petite vérole. Joseph les fait brûler. Sous sa conduite, les Abénaquis acquièrent une fabuleuse réputation de guerriers invincibles.

On sait que, le 25 août 1746, son autre frère est tué sottement dans une rixe. Après cette date on ne trouve plus trace de Joseph de Saint-Castin. La vieille baronne s'éteint doucement chez une de ses filles, probablement vers 1750.

Les Saint-Castin ont encore une très importante

descendance américaine, en Louisiane et au Québec sous la forme Castin, et aux États-Unis, particulièrement en Nouvelle-Angleterre, sous la forme anglaise : Castine.

11/ Manger, s'habiller, dormir chez les Canadiens

Le XVIIIᵉ siècle a treize ans lorsque l'Europe consent à faire la paix avec Louis XIV.

A Vienne, à Madrid, comme à Londres ou bien à Versailles, les plénipotentiaires se frottent les mains, tout le monde est content ! Ce qui n'exclut pas la naissance secrète de solides rancunes. Par bien des aspects, le traité d'Utrecht ressemble beaucoup au congrès de Vienne en 1815.

Louis XIV, heureux comme un joueur qui a réussi à récupérer sa mise, conserve l'intégrité du territoire métropolitain. Le roi d'Espagne exulte : il est autorisé à régner. Les Autrichiens se rengorgent : ils ont repoussé les Turcs sans le secours de l'infanterie française. Le congrès s'amuse... et les Anglais voient loin, selon leur habitude de l'époque. Ils « reçoivent » Gibraltar, Minorque, un droit sur la baie d'Hudson, Terre-Neuve et l'Acadie. Rien que des cailloux, selon les beaux esprits de l'époque. Des « cailloux » qui feront d'eux les maîtres du monde dans cent ans.

Pour les Acadiens, l'enfer ne fait que commencer.

LA NATION

Puisque les Français ont perdu l'Acadie, verrou naturel du Saint-Laurent, ils vont en construire un autre, artificiel à souhait, bien plus beau et plus efficace. Ils fortifient à l'extrême Louisbourg, dans l'île Royale conservée par le plus grand des hasards, à la pointe de cette terre d'Acadie qui paraît porter malheur à ses habitants.

En Nouvelle-France, l'atmosphère est très différente. Les Canadiens ne ressentent pas beaucoup ce déchirement. Leur domaine, déjà grand, est devenu immense, au-delà de toute imagination. Voilà quarante-huit ans qu'il se réchauffe doucement aux rayons du Roi-Soleil. Si sa politique a apporté des inconvénients souvent exaspérants, elle a eu aussi l'avantage d'être assez cohérente et continue.

Le peuple canadien s'est installé « en profondeur ». Les Français qui arrivent maintenant sont très surpris de découvrir une population originale qui n'est pas loin de les considérer comme des étrangers. Quand ils sont colons, artisans, les choses s'arrangent vite, mais, pour les officiers, les fonctionnaires royaux, l'assimilation est lente, lorsqu'elle n'est pas impossible.

Depuis l'arrivée de Champlain, on compte 7 506 mariages, 39 923 naissances, 14 898 décès. Résultat : un excédent de 25 025 habitants. Bien entendu, ils se marient entre eux, parfois avec des nouveaux venus, parfois avec des Indiens, et, dans tous les cas, avec une ardeur constante, fondent des familles nombreuses.

Ces progrès se sont accomplis sous la guerre et ses tourments. Or, voici qu'avec le traité d'Utrecht arrive une grande nouveauté : la paix. Elle dure une génération entière. Les Canadiens en profitent pour former une nation. Dans trente et un ans, la force colossale de l'Angleterre et de ses treize colonies américaines, dans l'impossibilité de la détruire, s'en emparera.

Avec la paix, le trafic régulier des bateaux-courriers prend de l'importance. On s'écrit beaucoup entre colons et lointains cousins. Ceux qui veulent venir posent des questions à pleines pages. Les familles leur répondent de même. Ces innombrables lettres nous apprennent quantités de choses sur la vie journalière de la Nouvelle-France.

DES MAISONS-FORTERESSES

Il existe trois types de maisons, élaborées en fonction des deux plus importants dangers : l'hiver et l'Iroquois. L'incendie accidentel, pourtant tragique, ne venant que loin derrière.

La maison du colon est en bois. Elle possède un étage mansardé (le mot n'est pas encore inventé) et mesure en moyenne 40 m^2 au sol. Le toit est « pentu » pour éviter l'accumulation de la neige. Elle fait un angle au mauvais vent avec la grange qui mesure au moins 20 m sur 7 ou 8. Là, sont entassées les récoltes nécessaires, les semailles, la nourriture des bêtes. Les animaux sont enfermés dans une étable calfeutrée, percée de plusieurs petites fenêtres pour permettre une aération suffisante, tout en empêchant le passage d'un ennemi.

L'ensemble est entouré d'une palissade de pieux

pointus, derrière lesquels court un chemin de ronde. Lorsque le colon a réussi, il peut même être flanqué de miradors aux angles.

De toutes les manières, les maisons ressemblent à de petits forts. Beaucoup de villages éloignés sont ainsi constitués de fortins accolés qui forment une sorte de labyrinthe très difficile à investir. Quand le colon réussit au-delà de l'espérance ordinaire, il se fait bâtir une maison en pierre, comme à la ville. Or, la pierre conduisant le froid et le mortier se désagrégeant au gel, les fondations ordinaires s'effritent, puis s'effondrent au dégel. La classique maison française ne résiste pas au climat canadien, et les maçons venus de la métropole ont dû innover.

Après bien des essais, ils ont trouvé une solution satisfaisante. Ils installent d'abord un socle en pierre et maçonnerie, plus large d'un bon mètre que la maison et de la même profondeur, dans lequel ils creusent des conduits d'aération. La maison est construite en pans de bois à la normande, ou en pierre (80 cm d'épaisseur). La hauteur atteint rarement plus de 3,75 m. Poutres, chevrons et linteaux sont en pin ou bien en cèdre. Le toit pointu est obligatoirement couvert de tuiles ou d'ardoises.

Les murs, ou solages, sont garnis d'une sorte de cloison d'assainissement en lattes, recouvertes de plâtre ou de glaise, qu'on appelle des gaspardes. A l'entrée de l'hiver, les Canadiens « renchaussent » le socle de pierre, c'est-à-dire qu'ils le recouvrent de paille et de terre mêlées. Cette matière qui pourrit vite servira au printemps suivant de terreau aux ménagères pour cultiver des fleurs.

La maison de Québec est profonde, assez vaste. Les fenêtres et les lucarnes des toits sont largement ouvertes, les murs blanchis à la chaux. Les rues sont pimpantes. C'est que l'Iroquois ne rôde pas dans les rues de la capitale.

A Montréal ou à Trois-Rivières, les maisons bâties de la même façon sont plus ramassées. Les fenêtres ressemblent à des embrasures, socles et bas de solage sont faits de rochers à peine retaillés. L'ensemble est plus austère, plus gris. Dans ces deux villes qui sont autant de postes avancés, il ne se passe pas d'année sans alerte.

A la campagne ou en ville, l'intérieur des maisons ne change guère. La grande pièce du bas ne comporte qu'une cloison, tout au fond. Elle isole deux réduits, un pour une porte, une sorte de tambour qui mène à la grange, l'autre pour les toilettes, modeste tinette, car il est tout à fait exclus de sortir pour satisfaire un besoin naturel au cœur de l'hiver. Par les grandes pointes de froid, tout le monde sait qu'une brutale gelure de l'anus foudroie aussi radicalement qu'une balle dans la tête.

LE SENS DU CONFORT

Le reste de la pièce est à la fois séjour, cuisine et chambre à coucher pour les parents et les enfants en bas âge. Au fond, le lit à baldaquin, surchargé de couettes en duvet d'oie avec une courtepointe brodée de vives couleurs « à l'indienne », c'est le « lit garni de la communauté », comme le désignent les notaires. A côté sont alignés les beaudets, les berceaux des derniers-nés. Les grands logent au-dessus, dans des carrés eux aussi très confortables.

La cheminée est large, abondamment fournie de bois. De part et d'autre s'étirent des étagères où les ménagères placent leurs innombrables instruments de cuisine : chaudrons, poêlons, lèchefrites, tourtières, grilloires, diables à griller des châtaignes, casseroles, couverts, bols, etc. Sur la corniche ou, plutôt, sur le manteau de la cheminée, sont rangés les fers à repasser, les lanternes, les bougeoirs, une corne à poudre qui doit toujours être bien sèche et, le long de la hotte, suspendus à des bois de caribou, le ou les fusils de la maison, toujours chargés, hors de portée des petits. On le voit, du point du vue des ustensiles, le ménage canadien est le mieux fourni du monde.

Dans la pièce unique, on trouve aussi des bancs et de nombreux tabourets autour de la grande table fixe. Le long des murs, il y a des coffres pour ranger les vêtements, souvent un placard ou deux, une huche, un rouet pour filer la laine des moutons de la propriété, un métier à tisser le lin. On note de plus en plus de chaises avec sièges paillés.

A l'entrée est fixé le « banc aux seaux ». On y met aussi bien ceux pour l'eau que pour le lait, la sève d'érable ou la résine. Quand il y a affluence d'invités, on les retourne et cela fait autant de sièges...

On reçoit beaucoup l'hiver, les voisins comme les voyageurs qui sont plus nombreux qu'on ne l'imagine. Tout est occasion à souper, danser, chanter. Au milieu du terrible et morne hiver, la maison canadienne est un phare chaleureux.

RICHES...

Tous les Canadiens, lorsqu'ils ne sont pas victimes des Iroquois, vivent dans l'aisance.

Dans un pays où l'argent est rare, la richesse se

compte en jambons, en fourrures, en vêtements, en maïs, en poissons, en outils ou bien en armes. On s'enorgueillit d'avoir quatre ans d'avance de bois coupé, une tunique en loup gris ou une tourtière géante « à ne pas finir le dedans ». Les inventaires en cas de décès, de mariage, nous indiquent, plus clairement que tout mémoire, la situation exacte du colon moyen. Par rapport à son homologue français, anglais ou allemand, il est riche, très riche, bien qu'il accumule des dettes avec beaucoup d'insouciance. Quant à sa terre, libre, ou à peu près, d'impôt, c'est lui-même qui l'agrandit et la... valorise au maximum.

A sa mort, il suffira d'en vendre un tout petit lot pour rembourser l'emprunt initial et les dettes corollaires. Alors, le colon et sa famille vivent avec force et gaieté entre deux meurtres des Iroquois ou la noyade, cette seconde plaie de la Nouvelle-France qui touche particulièrement les nouveaux venus.

DES FÊTES LONGUES COMME DES NUITS

Le mariage est la grande affaire. C'est à la fois la promesse d'une nouvelle famille et l'orgueil des parents. Même chez le plus modeste colon, la noce dure au moins cinq jours et autant de nuits. On vient parfois de cent lieues pour y assister et participer aux réjouissances. Il n'y a qu'un repas par jour, mais c'est un véritable banquet. L'hôte (c'est-à-dire le père de la mariée ou celui qui le remplace), qu'il soit seigneur ou censitaire, sera accusé de lésinerie si à la fin du repas la table n'est pas aussi encombrée de mets que lorsque les invités y ont pris place. Après le repas qui dure au moins quatre heures, on danse jusqu'au matin.

Dans chaque famille, on sait jouer du violon et de la guitare. Les Canadiens, qui ont l'habitude de chanter en groupe à l'église, s'en donnent à cœur joie pendant les fêtes, et les chansons polissonnes vont bon train, reprises à « plein gosier » par le curé comme par ses ouailles.

S'ils boivent peu de vin, car il est hors de prix, les Canadiens, en revanche, boivent beaucoup de bière et du « raide », cette eau-de-vie dont raffolent les Indiens. Et surtout on mange, nécessité vitale dans un pays froid. Pendant que les habitants de la Nouvelle-Angleterre s'empiffrent de pudding à la graisse, les Canadiens apportent de France le goût de la table.

Chez eux, on ne mange pas n'importe quoi, et les ménagères, pour accommoder viandes et légumes du Nouveau Continent, s'inspirent surtout des idées de cuisine algonkine.

LA CUISINE INDIENNE : DIX RECETTES POUR VOS INVITÉS

Dans le même temps, les Indiennes s'intéressent aux recettes paysannes françaises. Il en résulte une gastronomie originale qui ne ressemble à aucune autre. L'exotisme ne perdant jamais ses droits, on appelle cette cuisine « indienne » alors qu'elle est à la vieille tambouille amérindienne ce que la cuisine vietnamienne est à la chinoise.

C'est à un « Indien à part entière », comme il se désigne lui-même, Bernard Assiniwi, que l'on doit la transcription de ces recettes qui jusqu'ici avaient valeur de secret de famille. Dans le pandémonium de la cuisine dite « indienne », on ne compte pas moins de :

7 recettes de pain (bannique);
6 recettes de hors-d'œuvre ou petites bouchées;
14 recettes de soupe (nabos);
3 recettes de chowders (kiniginige gigo), sorte de timbale;
10 recettes de viandes;
12 recettes de légumes;
9 recettes de fruits de mer et de poisson;
11 recettes de dessert;
4 recettes de breuvages;
27 recettes de survie en forêt, qui comprennent des plats de très haut niveau comme la truite dans la glaise ou bien l'ours en cube.

En voici une de chaque catégorie, bon appétit.

Bannique ordinaire (pakwejigan)

C'est le pain le plus simple. Il ne moisit jamais. Voici la portion pour trois chasseurs :

1 tasse de farine tamisée;
1/4 de cuillerée à thé de sel;
1/2 cuillerée à thé de poudre à pâte (levure);
3 cuillerées à soupe de graisse de porc-épic fondue (ou bien d'huile de tournesol);
1/3 de tasse d'eau (la tasse, c'est 1/4 de litre);
1/4 de tasse d'huile à cuire (huile à friture).

Mélangez les composants à sec. Incorporez la graisse de porc-épic ou l'huile de tournesol. Mélangez à l'eau et pétrissez. Faites chauffer l'huile dans une poêle et posez-y la pâte obtenue en forme de galette. Faites dorer. On peut ajouter des raisins secs ou des airelles.

Servez chaud ou froid.

Hors-d'œuvre ou petites bouchées.

Gigo wawanons ou saumon aux œufs de saumon;

1/3 de livre de filet de saumon fumé finement tranché;

6 onces de caviar rouge canadien;

2 têtes d'ail des bois ou d'échalotes hachées fin;

Des petits pains de bannique.

Étendez le saumon et le caviar sur le pakwejigan. Recouvrez avec l'ail ou l'échalote hachés très fin. Coupez en fines lamelles et servez directement.

Soupe de moutarde sauvage au poisson (pagwadji-mitig-nabo)
(pour 8 personnes)

1 grosse pomme de terre pelée et coupée en quatre;

4 grosses têtes d'ail des bois (ou 1 gros oignon);

1 litre et demi d'eau (1 pinte et demie);

6 grains de poivre noir rond;

1 livre de feuilles de moutarde noire sauvage;

24 onces de poisson à chair blanche et fine;

10 feuilles de menthe fraîche, lavées;

2 cuillerées à thé de sel de tussilage (feuilles brûlées).

Mettez la pomme de terre, l'ail, l'eau, le poivre

dans une grande casserole et amenez à ébullition. Puis réduisez la chaleur et laissez mijoter 1 petite heure. Réduisez la pomme de terre en purée. Ajoutez le poisson et laissez cuire 10 mn. Ajoutez les feuilles de moutarde en brassant, puis la menthe et le sel. Laissez mijoter 5 mn.

On peut servir tel quel ou alors faire un bouillon fin en passant l'ensemble au tamis.

Six-pâtes de gibier (pag waddjawessi)

C'est le plus ancien plat de la cuisine indo-canadienne ou canado-indienne. Les cuisinières du lac Saint-Jean y ajoutent, paraît-il, des pommes de terre.

    2 lièvres désossés;

    2 grosses perdrix désossées;

    1 livre et demie de viande de chevreuil ou d'orignal coupée en dés de 2 ou 3 cm;

    1 livre de castor en dés;

    2 canards sauvages désossés;

    1 gros lapin désossé;

    Clous de girofle, cannelle, sel, poivre, ail des bois, échalotes.

Il faut un grand chaudron métallique dont on graisse les parois et le fond.

Faites une grande pâte à tarte (maïs ou froment au choix), puis couvrez-en le fond et les parois du chaudron en laissant déborder.

Rangez les lièvres au fond en cercle, en laissant vide le centre. Couvrez d'un cercle de pâte. Disposez ensuite toutes les viandes en cercles alternés de pâte. Remplissez d'eau le trou ainsi formé en dessous du dernier cercle de pâte. Ajoutez les clous de girofle, la cannelle, etc. Couvrez de pâte et mettez au four à cuire 8 h à feu doux. A la dernière heure de cuisson, faites un trou d'environ 6 cm de diamètre.

En principe, la croûte doit être croustillante et feuilletée. Le parfum des viandes se marie divinement.

On peut remplacer les viandes de la forêt par du poulet, du bœuf, du veau, du porc, mais évidemment cela n'a pas la même saveur.

Œufs brouillés au saumon (wanan-bigoshka)

> 5 œufs de canard ou 20 œufs de tortue;
> 1/2 cuillerée à thé de poivre;
> 1/4 de tasse de salade hachée fin (pissenlit ou moutarde);
> 3 cuillerées à soupe de beurre;
> 3/4 de livre de saumon fumé, tranché en fines languettes;

Battez les œufs avec le poivre et la salade.

Faites fondre le beurre à la poêle. Posez les languettes de saumon. Ajoutez les œufs. Remuez durant la cuisson.

Se sert avec des racines de nénuphars grillées ou des racines de roseaux.

Gibelotte assiniwi (kinigawissin)

> 1/2 livre de bacon en petits dés;
> 1 gros piment vert en dés;
> 3 cuillerées à soupe de beurre;
> 1/2 concombre en dés;
> 2 oignons en tranches ou 10 têtes d'ail des bois;

16 onces de pois verts frais cuits;
16 onces de maïs en grains;
16 onces de tomates écrasées;
1 tasse de purée de pommes de terre;
1 tranche de bannique grillée par invité;
Sel et poivre.

Faites frire le bacon dans le beurre avec les piments, le concombre, les oignons ou l'ail.

Lorsque tout est bien tendre, ajoutez les pois, le maïs, les tomates, la purée. Salez, poivrez, ajoutez la bannique quand le plat est presque chaud à point.

D'une certaine façon, cette recette descend de la rude *sagamité*.

Fruits de mer à la mic-mac (mic-mac dagonigade)
(pour 8 invités)

3 douzaines de bigorneaux;
3 douzaines d'huîtres non ouvertes;
3 douzaines de moules idem;
3 douzaines de palourdes idem;
8 épis de maïs;
8 pommes de terre nouvelles non épluchées;
8 petits homards verts de 1 livre et demie;
3 pintes d'eau salée à 3 cuillerées à soupe de sel de mer;
12 onces de vin de pissenlit que l'on peut agréablement remplacer par du vin blanc.

Nettoyez soigneusement les coquillages. Placez les huîtres dans le fond d'un grand chaudron. Ajoutez 4 homards et 4 épis de maïs, puis les 8 pommes de terre, les 4 autres homards et les 4 épis de maïs. Ajoutez les bigorneaux, les moules, les palourdes. Videz l'eau salée, couvrez et assurez avec de la pâte à tarte autour du couvercle. Amenez à ébullition pendant 3 mn. Faites ensuite mijoter 2 h à feu doux. Si vous êtes au bord de la mer, remplacez l'eau salée par l'eau de mer.

Noix à l'érable (pagan-wiiagiminan)

> 8 onces de sucre d'érable râpé;
> 6 onces d'eau;
> 4 onces de noisettes grossièrement écrasées;
> 3 onces de noix ou bien de glands;
> 14 onces de prunes sauvages ou domestiques, séchées, dénoyautées.

Mettez le sucre d'érable dans l'eau. Chauffez doucement. Quand le sirop est bien onctueux, retirez du feu, jetez les noix et enrobez-les bien, puis alternativement les noisettes, les prunes. Bien mélanger. Retirez les fruits un à un avec une petite écumoire.

Une fois refroidis, ils constituent des bonbons délicieux dont se régalaient les petits élèves des sœurs de Québec dès le XVIIe siècle.

Vin de pissenlit (mashkossiw-nabo)

Ceci est une recette plus particulièrement iroquoise. Les Canadiens ne paraissent pas l'avoir adoptée.

Au printemps, les femmes font la récolte des jeunes feuilles de pissenlit, puis se réunissent pour mâcher soigneusement les feuilles qu'elles crachent dans un grand pot de terre cuite. La salive aidant, la fermentation s'opère en deux mois. Il suffit de filtrer avant de boire. Ce « vin » pèse rarement plus de 6 degrés. Il suffisait pourtant à créer l'ambiance lors des grandes fêtes du maïs dans les tribus iroquoises.

Le p'tit-caribou (ashkote-nibish)

40 onces d'alcool blanc;
40 onces de sherry, de porto ou de brandevin.

Mélangez bien les deux parties, versez-les dans une cruche et gardez au frais.

Sur le plan de « l'efficacité », cela vaut le pineau des Charentes. C'est la recette de l'eau-de-vie de traite.

Truite dans la glaise (namegoss)

1 belle truite fraîchement pêchée;
Thym, sel de tussilage;
Terre glaise.

Ne videz pas la truite, gardez la tête. Tenez la bête serrée au niveau des branchies et pincez l'abdomen entre le pouce et l'index en descendant vers l'anus pour faire sortir ce qui n'est pas comestible. Salez légèrement, ajoutez un peu de thym en poudre ou bien en branche. Enveloppez soigneusement dans la glaise, de façon que l'on ne voie plus un morceau du poisson. Glissez le « pain » ainsi obtenu dans un feu de braises durant 2 h.

Ensuite, brisez la terre sur un côté et mangez dans la partie intacte comme dans un plat.

L'ours en cube (makwassiniwi)

3 livres de fesse d'ours coupée en petits cubes;

3/4 de cuillerée à thé de sel de mer ou de tussilage;

3/4 de cuillerée à thé de poivre;

1 cuillerée à soupe de coriandre;

1 cuillerée à soupe de cumin;

1 tasse d'ail des bois ou d'échalotes coupées fin;

1 cuillerée à soupe de sucre d'érable;

1/4 de tasse de sauce de soja;

Un peu de gingembre frais;

1/4 de tasse de jus de citron ou de feuilles d'oseille écrasées pour en tirer le jus.

Mettez les cubes de fesse d'ours dans un poêlon bas. Mélangez bien les ingrédients et versez sur la viande. Laissez mariner de 4 à 6 h.

Égoúttez, conservez la marinade. Mettez les cubes de viande sur le grill sans qu'ils se touchent et posez le tout à au moins dix centimètres des braises. Grillez 5 mn, puis arrosez. De 5 mn en 5 mn, recommencez. La viande doit être bien cuite et croustillante.

A défaut de fesse d'ours, on peut évidemment prendre de la fesse de bœuf. La recette y perd énormément...

RENDEZ-VOUS À LA TAVERNE

Ce bref exposé montre à l'évidence que les habitants de la Nouvelle-France ne s'ennuient ni à table ni au feu de camp, pour peu que l'aventure leur en laisse le loisir.

Ils savent boire aussi. A Québec, par exemple, les explorateurs, comme les coureurs des bois ou les officiers affectés à des postes lointains, se retrouvent traditionnellement dans les tavernes de la basse ville pour fêter leur départ après avoir fait leur testament, autre tradition née d'une pénible expérience.

On ne compte pas moins de quinze auberges avouées, c'est-à-dire d'établissements importants qui n'ont rien à voir avec d'ordinaires « bouchons » de port. Leurs noms sont prometteurs ou édifiants : *Au Roi David, Le Lion d'or, Aux Trois Pigeons, Le Signe de la Croix, Le Castor Gras*, etc.

Là, tandis que les innombrables canots chargés de ballots de traite attendent la débâcle des glaces, chaque soir se réunissent les hommes les plus vigoureux, les plus résistants, les plus sauvages aussi, Indiens et Canadiens mêlés. Avant des mois et parfois des années d'efforts difficilement imaginables, pendant lesquels ils seront à des milliers de kilomètres de tout « réchauffement de cœur », ils prennent ensemble la dernière « malle » et la dernière « musette », on dit aussi « saoulerie »; la taverne est un tableau brutal et coloré qui pourrait inspirer un maître flamand.

Le gouverneur n'aime pas y voir les Indiens. L'alcool les rend fous. Ce ne sont cependant pas des « sauvaiges », ce sont des compagnons de route, liés à la vie, à la mort, à l'aventure commune depuis tant d'années ! Alors, tout se règle entre épaules carrées, membres musculeux, dans l'ombre de la ville basse, et foin des exempts[1] !

Tous ces gaillards, peu soucieux du grade mais infiniment respectueux de la valeur, font mieux que se connaître, ils se « scavent », tous, à l'échelle d'un

---

1. C'est dans une rixe de ce genre que le dernier baron de Saint-Cartin fut tué.

continent, partageant, de hasard en surprise, des secrets dérisoires ou extraordinaires.

LA MODE EN MOCASSINS

Soir après soir, guettant le dégel, ‘les groupes se forment et brusquement s'animent à l'arrivée d'un compagnon qui agite bien haut son congé de traite sous les acclamations.

Tous les costumes sont réunis : basins et souliers à boucles des artisans citadins, vêtements militaires des troupes réglées de la garnison qui pourraient faire croire que l'on est à Denain ou à Bar-le-Duc, costumes de coureurs, de « traitants » en peau d'orignal, dos doublé et manches à franges, brodées, incrustées de dents, de perles, mitasses, mocassins souples comme des gants de filles, ceintures criardes où pendent de grands couteaux, sacoche pour le briquet, la réserve de pierres à fusil.

Les Canadiens ont toujours une chemise sur la peau. Sur la tête, ils portent une tuque rouge (grand bonnet) quand ils travaillent à la ferme ou quand ils chassent pour se faire voir et éviter l'accident stupide. A la guerre ou à la découverte, ils portent un bonnet rond de castor, avec une queue de renard.

Jamais frileux, les Indiens mettent leur veste à même la peau. Dans leurs cheveux noirs, tressés ou taillés à la mode de leur clan, ils ont des plumes. Ils ne consentent à se couvrir la tête qu'au plus fort du froid.

Sur toutes les épaules, une « couverte » de laine, de feutre ou de cuir, toujours décorée. Cette habitude spécifiquement indienne est adoptée par tous. Les Canadiens ne portent pas l'anorak, pourtant si pratique, des Esquimaux ou des Cris du Nord.

Avec la couverte, ils savent tout faire : abri, brancard, sac de couchage, rempart (une couverte attachée « molle » à deux piquets protège parfaitement des balles adverses qui n'ont pas encore atteint une haute vitesse initiale). Les traiteurs s'en servent aussi pour faire des signaux de fumée ou bien un linceul.

Toute la journée, c'est un va-et-vient constant entre les magasins des négociants et les quais bas où butent les canots. Les élégantes de la haute ville viennent les voir de loin, habillées, pensent-elles, selon la dernière mode de la cour. Les autres femmes sont plus modestes. Comme leurs sœurs de la campagne, qu'elles soient de Trois-Rivières, de Batiscan ou bien de Touraine, pour un même travail de paysannes, elles sont vêtues de façon à peu près semblable et ne s'apprêtent un peu que pour la messe ou bien la fête. De toute façon, sous le capot de laine des longs temps froids, on ne voit guère leurs beaux habits.

EN TENUE CAMOUFLÉE

Obligés de s'adapter à un climat et à des distances inconnues, les Canadiens se spécialisent très vite dans la confection de vêtements adéquats pour la chasse comme pour la guerre. Les premiers, ils inventent la tenue camouflée.

En 1666, la première campagne du régiment de Carignan-Sallières contre les Iroquois est un fiasco. Le soulier à boucle, le bas serré, les culottes blanches à la française, la veste piquée et le tricorne ne résistent pas à 150 km en territoire forestier indien. Bien que n'ayant rencontré aucun adversaire, les soldats reviennent en piteux état, pour ne pas dire plus.

Après de longues « parlotes » avec ses concitoyens, Charles Le Moyne propose de changer l'uniforme du fameux régiment. Il est « obéi en tous poincts » par les officiers du marquis de Tracy. Talon réussit à fournir le matériel en moins de six mois.

La troupe est dorénavant vêtue d'un justaucorps de drap brun à boutons d'étoffe, cravate jaune clair, « couverte » jaune clair rayée de brun, ceinture de laine de couleur, à frange, toque de fourrure, mitasses, mocassins en peau de daim. La poire à poudre est suspendue à un cordon rougeâtre. De plus, chaque soldat reçoit une hache et une paire de raquettes qu'on lui apprend à attacher sur le dos avec son sac.

Grâce à cette tenue qui les rend à peu près invisibles sous les halliers de la forêt sans limites, les soldats, qui ne sont pourtant pas encore entraînés à la guerre indienne, surprennent de nombreux partis iroquois.

Beaucoup plus tard, nos états-majors inventeront des finesses dans le genre pantalon garance ou tenue bleu horizon, sans se douter le moins du monde que, grâce à l'imagination de colons canadiens, le 47e régiment d'infanterie[1] se battit avec succès en tenue camouflée au XVIIe siècle.

C'est à cause de leur costume que les Anglais,

---

1. Réformé en France sous son nom, il devient Lorraine-Infanterie en 1766. Aujourd'hui 47e R.I.

malgré leur nombre et une indiscutable valeur personnelle, n'arrivent pas à pénétrer sérieusement le continent américain. Pendant plus d'un siècle, et en dépit de graves différends souvent religieux avec la mère patrie, ils demeureront fidèles au costume porté à Londres, à Glasgow, aussi empêtrés et maladroits que les hommes du marquis de Tracy à leur première équipée.

Dans leur histoire, on ne comptera pas cent Anglais capables de monter dans un canot d'écorce. Dans le pire des cas, les laboureurs vont jusqu'aux galoches qu'ils s'empressent d'ôter retour des champs.

On peut dire que l'exploration du continent américain est liée à une question de mode vestimentaire.

12/ Robin des Bois contre Wall Street

En paix, donc, les Français d'Amérique s'élancent dans toutes les directions, comme si les efforts consentis jusque-là avaient eu pour but de fabriquer une bombe qui explose à l'orée du xviiie siècle.

De 1710 à 1744, le commerce des colonies avec la métropole passe de 25 millions de livres par an à 150 millions de livres sans dévaluation notable. Un tiers vient du commerce avec la Nouvelle-France, les deux autres du commerce avec les Antilles (dont plus de la moitié grâce au trafic d'esclaves).

L'AMÉRIQUE EST FRANÇAISE

Au milieu du xviiie siècle, tandis que les colonies anglaises comptent 1 500 000 habitants, il n'y en a que 70 000 dans la Louisiane et la Nouvelle-France. Sauf dans le Nord, en Acadie et au sud du lac Champlain, où, depuis le début, la situation est tendue, les Français n'ont pas de contacts avec les autres Européens. Ils ont beau pousser en tous sens, ils ne rencontrent jamais que des Indiens et d'immenses déserts.

La pénétration anglaise, elle, n'atteint pas 200 km dans le meilleur des cas, en Virginie et Caroline du Nord. Ailleurs, beaucoup moins : à New York, à peine 100 km; dans le Maine actuel, 50. En revanche, les Anglais possèdent toute la côte de la Floride au cap Breton.

L'immensité américaine

La jeunesse qui peuple à ce moment la Nouvelle-France est un chef-d'œuvre collectif de hardiesse, d'adaptation... et d'égoïsme agressif.

Par petits groupes souvent familiaux, accompagnés de « leurs » Indiens — une horreur pour les Britanniques —, ils avancent, constituent des réseaux de traite, de communications, bâtissent des comptoirs, des forts, ouvrent la terre et amorcent un semblant d'agriculture sur des territoires qu'ils sont les seuls à avoir vus.

Pour eux, l'immensité américaine est un territoire national. Ce qui était simplement la passion de l'aventure pour quelques héros devient un mouvement général, presque une seconde nature. Des centaines, des milliers de Cavelier, de Radisson ou de Hertel sillonnent, découpent l'Amérique, du Mississipi à la baie d'Hudson, de Terre-Neuve aux montagnes Rocheuses. Ces Canadiens n'ont peur de rien, surtout pas des distances. Le curé de Biloxi, en Louisiane, signe les certificats de baptême ainsi : « Dubost, curé de Biloxi, diocèse de Québec... » A 3 500 km de là, en canot et à pied, bien sûr. Quant au curé de Mobile, il fait trois fois le voyage en sept ans pour discuter de ses problèmes avec son évêque. Sur l'actuel territoire des États-Unis, il n'y a pas moins de 4 000 noms de villes, de villages ou de hauts lieux-dits français. Presque autant seront traduits en anglais après la conquête.

Les rêves de La Vérendrye

En 1726, Gautier de La Vérendrye, un quadragénaire de Trois-Rivières, reprend la grande idée de Verrazano et de Cartier : découvrir la mer de l'Ouest. Cathay et Cipangu sont de nouveau à l'honneur. Il est si convaincant qu'il trouve des commanditaires et un vague appui du côté de la cour. Avec ses fils, ses neveux, un frère, il va marcher vers l'ouest durant dix-sept ans. Interrompant son inlassable voyage par des retours à Québec et à Montréal, pour rassurer ses créanciers, se justifier d'accusations monstrueuses, trouver encore des fonds.

Pour avancer toujours plus loin, il plante du blé au printemps, attend la récolte et poursuit sa route comme le fit Hannon pour son périple africain, cinq siècles avant Jésus-Christ. Les Indiens n'en reviennent pas. Il est le premier à découvrir les Mandanes, des Indiens si blancs qu'ils paraissent livides sous leurs cheveux roux. Ils ont presque tous les yeux bleus.

Le premier, il parvient aux Rocheuses. Son fils Louis-Joseph atteint les monts Big Horn. Il se baigne dans les eaux de la Queen River, l'affluent majeur du Colorado qui se jette dans le golfe de Californie et voit aussi la rivière du Serpent, un affluent de la Columbia qui rejoint le Pacifique à la hauteur de

Portland. On ne sait pas très bien pourquoi il n'a pas descendu ces rivières qui le mettaient à moins de quinze jours de canot de l'Océan.

A son retour, La Vérendrye est jeté en prison. Pour dettes. Avant sa mort, le 5 décembre 1749, il sera enfin réhabilité et décoré de la croix de Saint-Louis. Heureux, comblé, il tendra la médaille à ses fils en s'écriant : « Voyez que l'on ne travaille pas en vain pour la gloire du roi ! » Il laissera pour vingt ans de dettes en héritage.

Marcher, marcher encore

Vers 1740, il n'y a vraiment que les infirmes et quelques fonctionnaires royaux pour ne pas avoir à leur actif deux ou trois courses. Tout le monde veut plus ou moins « taster de la traicte » ou bien « voyaiger à la descouverte ». Que ce soit pour la gloire ou le gain, la peine est la même, il n'y a pas de course de luxe, seulement des grandes ou des petites.

Partir en course, c'est marcher des centaines de kilomètres dans la forêt à peu près vierge ou la prairie avec de l'herbe jusqu'au ventre. Il faut porter le canot parfois sur une grande distance entre deux cours d'eau, refaire cinq fois, dix fois l'aller et retour pour transporter le fret, pagayer tout le jour en évitant les souches ou les glaces selon la saison et toujours les remous aspirants. Durant des semaines, des mois, allumer un feu par tous les temps. Dormir dehors son temps de repos, sous la garde de compagnons qui se relaient. Il faut veiller aux pillards, aux clans hostiles, ou tout simplement à l'ours dont on a sans le savoir dérangé les habitudes. Ce n'est pas le moindre des ennemis.

Il faut aussi résister à la famine, car, dans l'immense nature remplie de gibier, le gibier manque souvent.

Il est plus facile de pêcher. Mais, de l'avis général, la chair de poisson ne tient pas au corps, sauf lorsqu'elle est fumée. Comme on n'a évidemment pas le temps de s'attarder à de telles prouesses culinaires, on en revient à la méthode indienne : se gaver quand un caribou ou un orignal étourdi croise la route. En période de migration, oies et canards tombent facilement, encore qu'il faille les tuer « à balle », un sport qui n'est pas à la portée du premier venu.

En dernier ressort, tant que la neige ne recouvre pas le pays, c'est encore au porc-épic que la plupart des voyageurs dans l'épreuve doivent la vie. Ce malheureux rongeur, assez lent, facile à tuer avec une pierre ou un gourdin, fournit deux bons kilos de viande fine et autant de graisse. On peut toujours en garder les piquants et les longs poils dont les Indiens font des broderies et des appliques pour décorer leurs vestes. Sur leur traîne ou dans leur sacoche, même au pire de la famine, ils gardent précieusement une couenne de lard avec laquelle ils se graissent les fesses et l'intérieur des cuisses, là où naissent les crevasses les plus douloureuses.

De tous les grands errants, les Canadiens sont les premiers et sans doute les seuls à pouvoir déterminer le point de non-retour avant l'hiver. Les Indiens qui les accompagnent en course, cousins, beaux-frères ou simplement guerriers alliés, tiennent cette qualité pour magique et conçoivent une admiration et un dévouement sans bornes pour ceux qui la possèdent.

On sait que la prévoyance n'est pas la vertu cardinale des voyageurs. Beaucoup marquent les jours en cochant une baguette, d'autres comptent les journées de marche dans un coin de leur cerveau et décrètent à l'heure dite quand il faut s'arrêter. Un jour, soudain, l'été est encore là. Il fait beau, l'eau est tiède, le gibier foisonne et l'horizon est plein de tentations. Il faut pourtant choisir : faire demi-tour aussitôt ou continuer et hiverner. Revenir trop tard, ne fût-ce que de quelques jours, c'est risquer la mort à quelques lieues de la civilisation. Ainsi meurent gelés les optimistes ou les têtes légères. On les retrouve souvent à la limite des champs, épuisés, vidés.

La grande fraternité de l'hiver

Hiverner, cela veut dire poursuivre son chemin, dans un sens ou dans l'autre, jusqu'à l'endroit le plus propice pour l'édification d'un abri, la chasse et la pêche. Il faut couper le bois de chauffage et l'entasser près de la cabane avant que le gel ne l'ait rendu plus dur que la pierre. Il faut fumer la viande et le poisson, se calfeutrer le mieux possible avant la venue brutale de l'hiver, puis s'armer de patience pour les mois à venir. C'est au cours de ces interminables veillées que s'élaborent les contacts profonds entre Indiens et Canadiens, une fraternité particulière qui ne tient compte ni du clan ou du peuple indien ni de la tradition rurale française. Entre deux tempêtes, on piège un peu, si bien qu'au printemps, on a parfois rassemblé une très belle récolte de fourrures.

Bien des coureurs de bois ou des explorateurs, peu pressés de situer officiellement leurs découvertes ou leurs connaissances, hivernent deux ou trois ans consécutifs avant de revenir vers les missions ou les villes de Nouvelle-France.

A l'aller comme au retour, ils avancent à pied ou en raquettes, du même pas un peu large, infatigable, la main gauche fermée sur la batterie du fusil pour la protéger, la garder tiède et prête à « faire feu », crosse en avant et le canon posé dans la saignée. Cette manière très particulière de voyager armé est une attitude désormais classique que, dans un siècle, les premières photos des derniers coureurs libres nous livreront intacte.

La main droite est toujours libre pour saisir la hache chez les Indiens, le couteau à lame épaisse chez les autres. Ils le lancent avec tant d'adresse et de promptitude que ce n'est une gloire pour aucun de clouer un lièvre au déboulé. Ces découvreurs, coureurs de castors, vont si loin sur leurs canots ou leurs mocassins qu'on trouvera leurs traces partout sur le territoire de l'Amérique du Nord.

Ainsi, de Gaspé à La Nouvelle-Orléans, lacs et fleuves sont parcourus par des centaines de canots, des navires à voiles, des barques plates, un peu imitées des gabares de la Gironde.

Vers 1750, une nation franco-amérindienne est en train de naître sans le savoir.

Marquer ses frontières

Dans le même temps, le gouvernement de Québec assure l'occupation rationnelle du pays. Une vingtaine de forts sont bâtis du Richelieu à la Monongahela pour marquer clairement la frontière de la Nouvelle-Angleterre. Onze autres s'élèvent en Louisiane pour contenir les indigènes hostiles comme les Espagnols de Floride ou du Mexique, et une vingtaine, de l'Arkansas jusqu'à la source du Mississipi.

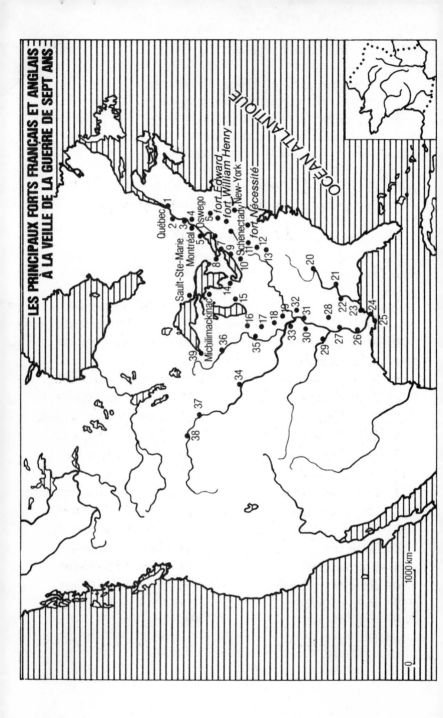

LES PRINCIPAUX FORTS FRANÇAIS ET ANGLAIS
À LA VEILLE DE LA GUERRE DE SEPT ANS

OCÉAN ATLANTIQUE

Québec
Montréal
Sault-Ste-Marie
Oswego
Fort Edward
Fort William Henry
Schenectady New-York
fort Nécessité
Michilimackinac

1000 km

Liste des principaux forts français à la déclaration de la guerre de Sept Ans

1	Québec.	20	Fort Tombecbé.
2	Trois Rivières.	21	Fort Saint Louis.
3	Montréal.	22	Fort Maurepas (Mobile).
4	Fort Chambly.	23	Biloxi.
5	Fort Frontenac.	24	Détour des Anglais.
6	Fort Carillon.	25	Nouvelle Orléans.
7	Fort Niagara.	26	Fort Pointe Coupée.
8	Fort Rouillé (Toronto).	27	Fort des Yazous.
9	Fort Presqu'île.	28	Porte des Arkansas.
10	Fort Lebœuf.	30	Fort Sainte Geneviève.
11	Fort Machaut.	31	Fort des Kaskakias.
12	Fort Venango.	32	Fort de Chartres.
13	Fort Duquesne (Pittsburg)	33	Fort Cahochas.
14	Détroit.	34	Fort d'Orléans.
15	Fort Miami.	35	Fort Crèvecœur.
16	Fort Saint Louis.	36	Fort Saint Louis.
17	Fort Quiatanon.	37	Prairie du Chien.
18	Fort Terre-Haute.	38	Fort Beauharnois.
19	Fort Vincennes.	39	Fort Chegouamigon.

Ces forts ne sont pas de simples enclos de pieux, mais de solides fortifications habitées par une garnison mixte, comportant chapelle, magasins de traite, infirmerie, etc.

Les forts des Grands Lacs existent toujours. Ils sont devenus des villages ou même des villes comme Michillimakinac, Sault-Sainte-Marie, Toronto, Detroit.

L'Amérique anglaise est divisée du nord au sud en 13 colonies. Un chiffre qui prouve au moins que les futurs Américains ne sont pas superstitieux. Leurs descendants inventeront pourtant les hôtels sans chambre 13, mais avec une 12 *bis*. Ces colonies sont aussi prospères que populeuses, particulièrement la Virginie qui possède alors le quasi-monopole du tabac avec le Maryland.

C'est justement de ces Virginiens, les premiers milliardaires du Nouveau Monde, que les ennuis vont naître. Certains d'entre eux se mettent en tête de revendiquer tous les territoires de l'Ouest où ils n'ont jamais mis les pieds, mieux, de les vendre en spéculant, bien entendu.

Profitant des trous immenses laissés par l'occupation canadienne, ils s'avancent jusqu'à l'Ohio, tandis que leurs collègues de New York, animés d'un même élan, fondent le fort d'Oswego, sur la rive sud du lac Ontario. Dans ce magnifique poste de traite, les *facteurs* britanniques s'empressent de « casser » les prix si bien qu'une quantité d'Indiens, par ailleurs alliés des Français, y viennent pour faire de bonnes affaires ou, plutôt, de moins mauvaises. Avant sa chute, le fort d'Oswego drainera près de 20 % des fourrures de l'Amérique du Nord.

Les Français sont un peu interloqués, mais Versailles refuse de rompre la paix. Ordre est donné de négocier, ce que les Canadiens comprennent en construisant quelques forts supplémentaires, en particulier le fort Duquesne, à l'emplacement actuel de Pittsburg.

Le défi américain

C'est tout près de là qu'en 1754, Joseph de Jumonville, un plénipotentiaire protégé en principe par ce qu'il est alors convenu d'appeler le « droit des gens », tombe dans une embuscade tendue par des Virginiens sous la conduite du plus grand d'entre eux : George Washington.

Le frère de Jumonville arrive quatre jours plus tard au fort Duquesne. Il y découvre les cadavres de son frère et de ses six compagnons scalpés, sans sépulture et déjà à moitié dévorés par les loups et les charognards. Il se lance alors à la poursuite des « Américains » qu'il retrouve au fort Necessity, près de Farmington en Pennsylvanie. Après leur avoir tué une centaine d'hommes, il les oblige à signer un traité dans lequel Washington reconnaît avoir assassiné Jumonville.

Les Virginiens ne respectent aucune des clauses de ce traité. Les Anglais ont inauguré en 1756 la guerre de Sept Ans, qui d'ailleurs en durera neuf. Ils sont donc désormais les ennemis des Français. Malgré la défaite du fort Necessity, ils ont de quoi être satisfaits. Puisque le sang a coulé, n'est-ce pas la meilleure preuve que le pays leur appartient ? Ils créent aussitôt plusieurs sociétés, tant d'exploitation qu'immobilières à la cotation tout de suite flatteuse.

En même temps, sur l'initiative d'Arthur Dobbs, gouverneur de Caroline du Nord, la presse coloniale

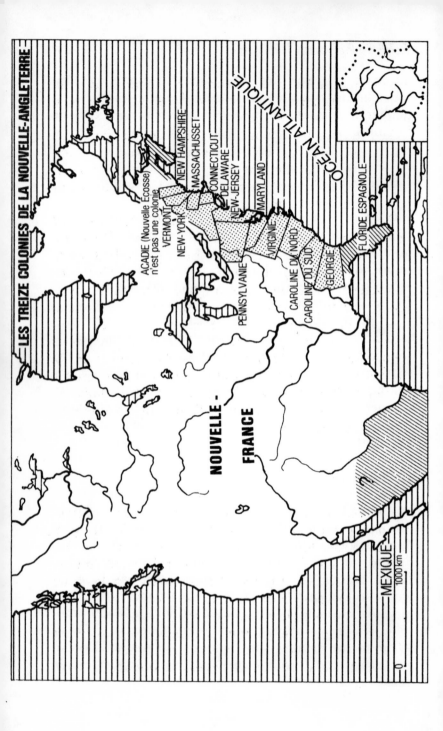

LES TREIZE COLONIES DE LA NOUVELLE-ANGLETERRE

OCÉAN ATLANTIQUE

NEW HAMPSHIRE
MASSACHUSSET
CONNECTICUT
DELAWARE
NEW-JERSEY
MARYLAND
VIRGINIE
CAROLINE DU NORD
CAROLINE DU SUD
GÉORGIE
FLORIDE ESPAGNOLE

ACADIE (Nouvelle Écosse)
n'est pas une colonie
VERMONT
NEW-YORK
PENNSYLVANIE

NOUVELLE - FRANCE

MEXIQUE

1000 km

0

américaine, déjà très importante, entame une incroyable campagne de dénigrement contre le Canada.

Les Américains ayant envahi une notable partie de la Nouvelle-France et s'intéressant à l'autre, il est normal qu'ils se mettent aussitôt à hurler au voleur. Ils n'ont pas inventé la méthode et les imitateurs ne leur manqueront pas.

Tous les jours, le *Maryland Gazette,* le *New York Mercury,* la *Pennsylvania Gazette, The Boston New Letter,* etc., publient des articles « sérieux » révélant l'inanité du Canada, la folie de l'idée même de Nouvelle-France, la catastrophe économique que représente son existence, la sauvagerie de sa population, le danger qu'il y a de vivre à côté des fous sanguinaires qui y habitent. Toutes ces honnêtes informations sont objectivement recueillies par *Le Mercure* de La Haye, puis amplifiées par une grande partie de l'intelligentsia française. Nous sommes au temps des bons Hurons et de l'Amérique assimilée à quatre arpents de neige.

La tension monte

En 1755, la flotte anglaise s'empare un peu partout de nos navires isolés. Sur terre, le major général Edouard Braddock fonce de nouveau sur le fort Duquesne. Il franchit la Monongahela, à quatre lieues de son objectif, avec 1 500 soldats réguliers, un lourd parc d'artillerie et une quantité d'auxiliaires chargés d'assurer la maintenance.

Prévenus par un coureur des bois, les Canadiens décident de se porter au-devant de l'ennemi avant qu'il n'ait pu déployer sa terrible artillerie. Tout ce qui peut marcher quitte les remparts : 72 soldats de marine, 146 miliciens et environ 600 Indiens dont la moitié « ramassés » en route.

Avec ses 250 grenadiers d'élite, l'avant-garde anglaise forme un bloc. Dès la troisième décharge, Beaujeu, le chef des Canadiens, est tué. Dumas le remplace et lance le fameux cri de Hertel : « Chacun son arbre. » Miliciens et Indiens disparaissent aussitôt. Les soldats de marine qui restent reculent en ordre, en faisant des feux de pelotons.

Une grêle de coups commence de s'abattre sur les troupes en mouvement. Incapables de manœuvrer dans les bois et de comprendre la guerre à l'indienne, les redoutables soldats de l'armée la mieux entraînée du monde se font hacher. Au soir, ils ont 977 morts ou blessés demeurés sur le terrain; les Franco-Indiens, 23 tués et 16 blessés. Le général Braddock est parmi les morts. On retrouve dans ses papiers le plan général d'invasion de la Nouvelle-France.

Les Français récupèrent plus de 1 000 fusils, 13 canons dont certains ont été démontés du *Norwich,* un puissant navire de guerre en escale près de New York. Dans le butin, on compte plus de 500 têtes de bétail destinées à l'alimentation de l'armée anglaise.

En Acadie, les Anglais menacent de mort ou d'esclavage les habitants qui ne prendront pas les armes contre les Canadiens. Entre le lac Champlain et l'Ontario, le baron de Dieskau, récemment arrivé, s'essaie à la haute stratégie. Cet élève préféré de Maurice de Saxe et le colonel Johnson font assaut de finesse durant l'été 1755. Le baron allemand tombe de haut en découvrant que les effrayants Indiens se refusent absolument à charger devant des canons dont ils ont grand-peur. Quant au distingué colonel anglais, il ne réussit pas à faire marcher au pas les milices coloniales. Les deux éminents stratèges se trouvent privés des trois quarts de leurs moyens. Ils courent comme des égarés d'un bout à l'autre d'un territoire où vont bientôt s'élever les forts William Henry, Carillon, Edward...

Les Français tuent 191 Anglais, les Anglais 122 Français et « assimilés ». Il y a 60 disparus chez les Britanniques. Dans les deux camps, personne ne cherche à approfondir ce problème, de crainte d'arriver tout contre les chaudières des « alliés ». Un fait doit pourtant être noté : le baron de Dieskau, blessé comme un sergent, est fait prisonnier. Les Anglais l'expédient en Europe. Il ira se faire soigner à Bath et, deux ans plus tard, mourra à Suresnes, dans les futurs Hauts-de-Seine.

Pendant l'automne et l'hiver, les colonies anglaises vivent en enfer.

Exaspérés par cette guerre qui porte le nom de paix, par ces assauts continuels, les Canadiens passent à l'offensive selon leurs critères.

En France, on s'empresse de construire des navires pour compenser les captures anglaises. On s'étourdit de rapports et de conférences au Conseil royal. Dans l'Amérique française (comment pourrait-elle s'appeler autrement ?), Indiens et Canadiens s'en donnent à cœur joie. Plus de cent petits commandos de super-guerriers attaquent, harcellent, incendient. Ils traversent plus de la moitié de la Pennsylvanie, de l'État de New York et de la Caroline du Nord. Des bandes se manifestent aussi au Maryland, en Virginie.

Ces hommes des bois ne sont rien moins que commodes. Avouons que bien des têtes scalpées ne le sont pas de main indienne. Les Canadiens deviennent les Iroquois d'un continent. Comme eux, ils sont invincibles, mais s'épuisent forcément de leurs victoires.

Pour tout arranger, des groupes partent de Louisiane, parcourent allégrement 1 000 km pour incendier quelques fermes en Géorgie, en Caroline du Sud.

La guerre inévitable

Dans les colonies anglaises, c'est la panique — une panique largement développée par la presse. Les Américains sont en avance de près d'un siècle sur les Canadiens. Ils savent déjà manier à la perfection les rouages de la démocratie, alors que leurs ennemis ont reculé d'autant en s'indianisant.

Les Canadiens s'amusent des exagérations sanglotantes de la presse américaine. Les Américains, eux, surveillent de près les cours de la Bourse.

D'un côté, on rêve un peu à Robin des Bois; de l'autre, on pense surtout à Wall Street. Il n'y a que les Anglais pour s'imaginer qu'ils ont toujours le pouvoir.

La presse continue sa pression contre les Canadiens. En fait, s'ils tuent peu de monde en regard des forces en présence, ils réussissent à interrompre une notable partie du commerce. L'énorme chœur des jérémiades s'explique... En France, Louis XV ne s'intéresse qu'à une victoire sur le continent. Un champ de bataille en Allemagne vaut plus que toute l'Amérique réunie. Assommée de réclamations, la cour de Versailles finit par envoyer 1 500 soldats en Nouvelle-France. Les Anglais en expédient 3 000... Alors, les journaux américains peuvent crier à la provocation. A la tête des renforts, Montcalm débarque au cap Tourmente et gagne Québec par terre. Nous sommes le 13 mai 1756.

Le 17 mai, les Anglais se décident enfin à déclarer une guerre qu'ils ont commencée deux ans plus tôt. Ils se sont emparés de 800 navires français et de leurs équipages. L'épopée canadienne ne s'en relèvera pas.

13/ *La victoire perdue*

Avec Montcalm, arrivent, outre le typhus, une administration militaire et une cour d'officiers poudrés qui vont en quatre ans transformer une réelle situation de victoire en abandon total.

UN GÉNÉRAL QUI VIENT DE FRANCE

Dès le premier jour, Montcalm décrète qu'il n'y a rien à sauver, que la cause est perdue. Il ne pense et ne parle que du peu qu'il connaît sur les troupes réglées, soit environ 3 500 hommes. Il tient les troupes de la marine pour suspectes et les milices canadiennes pour rien du tout.

Ses officiers écrivent rapports sur rapports défavorables aux Canadiens et à leurs chefs. Peut-on imaginer qu'ils vont en guerre sans hôpital, sans camp de base, que leurs « officiers » portent leurs vivres et leur couchage sur le dos comme des sergents ? Trouvent-ils une rivière — et Dieu sait s'il y en a dans ce damné pays — qu'ils la traversent à la nage ou à gué ! Si l'on intime à ces chiens de porter leurs « vrais » officiers sur l'autre rive, ils ont la malencontreuse habitude de perdre pied au milieu ! Faire la guerre sans draps propres, sans mess, sans domestiques et sans « gens fréquentables » à quelques lieues du champ de bataille, autant y renoncer tout de suite.

Une dizaine d'officiers exigent leur rapatriement. L'année suivante, Montcalm, qui est pourtant de leur bord, doit en renvoyer 9 autres : 5 pour manque de courage, 2 pour vol, 1 pour fabrication de faux, et le dernier pour folie. Il est obligé d'indiquer au ministre qu'il est inutile de lui expédier des officiers sur la simple demande des familles désirant se débarrasser « d'incapables de porter leurs noms ».

Dès la première année, il apparaît que les troupes de France n'acceptent que de faire une campagne d'été. Elles demeureront en garnison le reste du temps. Les troupes de la marine et les milices, elles, se battent toute l'année. Au Canada, on imagine facilement ce que cela signifie. En ville, les officiers français, qui savent qu'ils sont dans une zone où l'avancement est réduit au minimum, se conduisent en pays conquis.

Montcalm déteste ces Canadiens sûrs d'eux et de leurs victoires « déréglées », c'est-à-dire en dehors des règles établies par la bonne vieille guerre européenne. Les Indiens « l'inquiètent du dedans ».

Ce Provençal n'est pas capable d'une passion dévorante comme son compatriote Radisson pour ce pays immense, glacé ou brûlant selon les saisons. S'il ne gagnait pas une fortune à. combattre sous ces latitudes, il est certain qu'il rentrerait sans même avertir ses troupes.

Sur une feuille de « papier riche », il inscrit les

noms des compagnies, des bataillons, fait des alinéas en fonction de la valeur qu'il prête à ses officiers, puis part en guerre en oubliant qu'il est à plus de 6 000 km de Versailles et du Conseil où l'on respire la verveine et la lavande..

Il ne voudra jamais savoir que, passé le prochain boqueteau, un Indien peint en guerre ou un trappeur invisible peut tuer, capturer ou mourir, selon les cas. Pour lui, seules comptent les troupes réglées, en uniforme, avec trompettes et tambour. A ce jeu, il est évidemment perdant puisque les Anglais finiront par aligner 50 000 hommes et lui jamais plus de 4 000.

LES ANGLAIS EN DÉROUTE

En février 1756, Vaudreuil, le gouverneur du Canada, expédie 360 Indiens et Canadiens, sous les ordres de Chaussegros de Léry, harceler les Anglais entre Chouagen et Schenectady. Ils y réussissent si bien qu'ils s'emparent du fort Bull, sur le lac Oneida. Ils ne font pas de prisonniers. Les hommes se portent ensuite avec quelques renforts sur Oswego qu'ils coupent de tout contact avec les colonies anglaises.

Au début de l'été, Vaudreuil ruse encore. Il envoie Montcalm à Carillon et masse en secret 3 000 hommes à Frontenac. Avant de partir, Montcalm envoie une dépêche prévoyant l'échec. Le 29 juillet, il se présente tout de même devant Oswego.

Pierre-François Rigaud de Vaudreuil, frère du gouverneur, commande Canadiens et Indiens. Montcalm fait tirer quelques dizaines de coups de canon. Les Canadiens foncent à l'assaut. Une demi-heure après, le fort est pris. Ils capturent 1 700

Anglais, 6 vaisseaux armés, 23 canons, des vivres et des munitions en quantités ainsi que 18 000 livres sterling dans le coffre du commandant. Montcalm envoie une dépêche signalant que l'expédition a coûté 11 862 livres françaises.

Tout l'hiver se passe en petites attaques contre les avant-postes anglais où règne un moral au bord de la déroute. Les troupes de Montcalm demeurent dans leurs garnisons.

Au printemps 1757, Vaudreuil remue son monde, tandis que les Anglais mettent le siège devant Louisbourg. Montcalm réunit ses forces à Carillon : 4 000 réguliers, 2 200 miliciens, 1 800 Indiens. Il faut absolument détruire le fort William Henry. Le 3 août, le fort est encerclé. George Monro, le commandant anglais, refuse de se rendre. Les Canadiens veulent l'assaut. Montcalm leur fait creuser des fossés, établir une route pour amener les canons. Le 6 août, les 8 seuls canons que l'on a pu faire arriver ouvrent le feu. Trois jours plus tard, les Anglais se rendent. Ils sont 2 500.

Les Français acceptent d'accompagner les prisonniers jusqu'à leurs bases arrière pour leur éviter la rencontre des Indiens. En vain. Les troupes alliées tombent sur la colonne des prisonniers et en capturent plus de 600. Après bien des négociations, on pourra en retrouver 400.

Pendant tout l'hiver, Montcalm fait la guerre à outrance... contre Vaudreuil, le gouverneur.

L'ÉTINCELLE DU GÉNIE

Au début de l'été 1758, le major général Abercromby réunit 15 000 hommes au sud du lac du Saint-Sacrement. C'est la plus forte armée que l'on ait jamais vue en Amérique.

Montcalm et son intendant Lévis arrivent à Carillon. Fidèle à ses habitudes, Montcalm déclare que le fort ne vaut rien, qu'il est indéfendable, mais les Anglais et Lévis le forcent à se taire.

Le 5 juillet, les Anglais se mettent en route vers le nord. Dans la journée suivante, le brigadier Howe, très populaire, est tué dans une embuscade. Cela retarde l'avance des Anglais de vingt-quatre heures. Montcalm en profite pour achever les défenses qui lui semblaient faire défaut.

Le 7 au soir, Lévis arrive aux nouvelles fortifications avec 400 Canadiens. Les effectifs de Montcalm sont désormais de 3 600 hommes.

Le 8 juillet, Abercromby fait une rapide inspection. Un espion canadien réussit à le persuader que Montcalm va recevoir 3 000 hommes de renfort. L'Anglais décide d'attaquer. Mais les fusils canadiens font merveille. On se bat « plus loin que midi », et, vers 15 heures, les Anglais sont en déroute.

Ils ont perdu 1 944 hommes dont 1 610 appartenaient aux troupes de ligne. Les Français ont perdu 377 des leurs.

Ce n'est plus une victoire, c'est un triomphe. Alors, Montcalm s'empresse d'envoyer à Versailles un rapport où il dénigre Vaudreuil, les Canadiens et même son fidèle Lévis. Il est clair que sans son génie particulier tout aurait été perdu. Il déclare même froidement qu'il espère avoir quitté le pays l'année suivante. A la cour, personne n'a l'idée de sourciller.

Au début de 1759, une vingtaine de navires de ravitaillement et quelques renforts parviennent à Québec. Entre-temps, Montcalm a falsifié les dépêches du gouverneur de Vaudreuil pour gonfler son importance auprès du ministre de la Marine. Il est allé jusqu'à faire ouvrir le sac scellé qui contenait les rapports et, semble-t-il, en glisser d'autres plus conformes à ses vues. De plus, il a envoyé un officier chargé de salir — le mot est faible — Michel-Jean-Hugues Péan, un Canadien expédié par Vaudreuil. Doreil, l'espion de Montcalm, tentera même de le faire passer pour faussaire et déserteur.

Les plans de Montcalm pour « sauver » la Nouvelle-France consistent à faire exécuter à travers l'Amérique un repli général de l'armée qui ressemble à la célèbre retraite des Dix Mille, et il sauvera ainsi l'honneur de l'armée. Il propose aussi de faire envahir la Caroline par un corps expéditionnaire venu de la métropole.

A la cour, on discute très sérieusement ces époustouflantes suggestions. Alors, l'Anglais Wolfe arrive en face de Québec avec une flotte considérable et 8 500 soldats d'élite. Sur le plan de la tactique, Wolfe est un officier de la même farine que Montcalm. Il commet tant de sottises que bientôt les Canadiens sont sûrs de la victoire.

Tout le monde admet qu'il s'agit du dernier effort britannique. Il suffit de prendre son temps et dans quatre mois l'hiver se chargera des derniers Anglais. L'ambiance est si noire dans les colonies qu'à New York on commence à voir des gens qui vendent leurs propriétés pour une bouchée de pain.

Alors Montcalm, prenant à la lettre le contre-pied de toutes les informations et décisions canadiennes, s'engage dans la bataille avec la moitié de ses forces. Il va s'installer à Batiscan, néglige Québec et laisse les Anglais s'installer.

Quand il donne enfin l'ordre de les déloger, il

envoie charger les Canadiens sans préparation d'artillerie sur des positions parfaitement fortifiées. Résultat : un massacre. Le général se réjouit, car il tient enfin « sa » preuve de la mauvaise qualité des combattants locaux.

DANS LES PLAINES D'ABRAHAM

Jusqu'au 13 septembre, Wolfe fait ravager tous les établissements canadiens, à tel point que les officiers anglais eux-mêmes déclarent en être écœurés. Montcalm ne bouge guère. Les Anglais harcelés n'en peuvent plus. Ils songent très sérieusement à rembarquer.

C'est à ce moment qu'a lieu l'ultime bataille des plaines d'Abraham. Montcalm est tué, Wolfe aussi. Mais, alors que pour une fois ils étaient de beaucoup les moins nombreux, les Anglais demeurent maîtres du terrain.

Or, tenir Québec et le Saint-Laurent signifie tenir le pays entier. Durant l'hiver, il faudra des semaines, des mois pour que l'incroyable nouvelle parvienne à des troupes victorieuses partout.

Que dire du brusque désastre ? Il n'y a plus de tête. A la cour, on ne se préoccupe que de savoir si l'armée pourra se retirer avec les honneurs de la guerre. Pas un mot pour les Canadiens. Pas même une pensée pour les tribus alliées.

Parmi les 75 000 habitants de l'Amérique française, 4 000 environ partiront dans les fourgons de l'armée régulière, qui comptera plus de 800 déserteurs séduits par le pays. Les Anglais, qui savent réellement à quoi s'en tenir, se montrent assez compréhensifs, voire même parfois déférents avec les Canadiens. Il y aura très peu de mouvements en faveur de la France, seule une brusque flambée : la révolte des métis, qui se sentent à la fois plus français et plus indiens que tous. Elle n'aura pas de suite.

Vingt ans plus tard, lorsque les troupes américaines aidées par La Fayette et Rochambeau viendront mettre le siège devant Montréal, les Canadiens ne lèveront pas le petit doigt pour cette « libération », mieux, ils aideront très efficacement les Anglais à chasser les envahisseurs qui leur rappellent de trop mauvais souvenirs.

Aujourd'hui, dans les plaines d'Abraham, on peut lire cette plaque commémorative. Elle fut payée en livres sterling au marbrier local.

Montcalm,
Quatre fois victorieux
Une fois vaincu
Toujours au grand honneur de la France
Blessé à mort ici le 13 septembre 1759.

The gallant, good and great Montcalm
Four times deservingly victorious
and
at last defeated through no fault his own.

Chronologie

1473   Naissance de Copernic.

1492   Christophe Colomb découvre les Caraïbes.

1497   Premier voyage de Jean Cabot (Giovanni Caboto).

1524   Grand voyage de Verrazano. Toutes les côtes de la Nouvelle-France sont répertoriées.

1534   Premier voyage de Jacques Cartier.

1542/1543   Expédition de Roberval.

1564   Naissance de Galilée.

1603   Premier voyage de Champlain au Canada.

1604   Expédition en Acadie.

1608   Fondation de Québec.

1610   Henry Hudson explore la baie qui portera son nom.

1613   Henri de Condé, vice-roi de la Nouvelle-France.

1613   Champlain explore l'Outaouais.

1613   Destruction par les Anglais des établissements français en Acadie.

1615   Arrivée des récollets.

1625   Henri de Lévis, vice-roi de la Nouvelle-France.

1625   Arrivée des jésuites.

1627   Fondation de la Compagnie des Cent-Associés. Au temps de l'esclavage international, les « sauvages » du Canada deviennent citoyens français.

1627   Début de la guerre entre la France et l'Angleterre.

1629   Chute de Québec.

1632   Le traité de Saint-Germain rend le Canada à la France.

1635   Mort de Champlain.

1639   Marie de l'Incarnation arrive au Canada.

1642   Fondation de Montréal.

1649   Martyres de Brébeuf et de Lalemant.

1657   Arrivée des sulpiciens.

1657   Organisation du Conseil supérieur.

1659   Mgr de Montigny-Laval, premier vicaire apostolique.

1659   L'Acadie aux mains des Anglais.

1659/1660   Expéditions de Groseillers et Radisson.

1664   Création de la Compagnie des Indes occidentales.

1665   Arrivée de Tracy, Courcelle et Talon.

1666   Expédition victorieuse contre les Iroquois.

1667   Le traité de Bréda rend l'Acadie à la France.

1669   Première expédition de Cavelier de La Salle au lac Ontario.

1670   Fondation de la Hudson's Bay Company.

1672   Talon rentre en France. Arrivée de Frontenac.

1673   Louis Jolliet et le Père Marquette découvrent le Mississipi.

1679   Duluth explore le territoire des Sioux.

1682   La Salle parvient à l'embouchure du Mississipi.

1686   Raids français sur la baie d'Hudson.

1689   Massacre de Lachine.

1689   Guillaume d'Orange accède au trône d'Angleterre.

1689   Retour de Frontenac.

1690   Échec anglais devant Québec.

1694   Iberville à la baie d'Hudson.

1697   Traité de Ryswick.

1698   Mort de Frontenac.

1701   Traité de paix avec les Iroquois.

1702   Reprise des hostilités franco-anglaises.

1713   Traité d'Utrecht. Cession de l'Acadie, de Terre-Neuve et de la baie d'Hudson.

1715   Création par la Virginie de la Compagnie de l'Ohio.

1731   Début de l'expédition de La Vérendrye.

1743   Les fils de La Vérendrye atteignent les montagnes Rocheuses.

1744   Déclaration de guerre de la France à l'Angleterre.

1745   Chute de Louisbourg.

1748   Le traité d'Aix-la-Chapelle rétablit le *statu quo*.

1755   Déportation des Acadiens.

1756   Début des hostilités.
        Arrivée de Montcalm.
        Prise d'Oswego.

1757   Prise de Fort William Henry.

1758   Victoire de Carillon.

1758   Chute de Louisbourg.

1759   Bataille des plaines d'Abraham et capitulation de Québec. Mort de Wolfe et de Montcalm.

Bibliographie

Aubert de Gaspé, *Les Anciens Canadiens*. Éd. Fides, Montréal, 1975.

Abbé Cyprien Tanguay, *A travers les registres*. Librairie Saint-Joseph, Montréal, 1886.

Assiniwi Bernard, *Recettes typiques des Indiens*. Éd. Léméac Inc, Ottawa, 1972.

Bouchard Russel, *Les Armes de traite*. Éd. Boréal Express. Sillery, Québec, 1976.

L. Grégoire, *Dictionnaire encyclopédique d'histoire et biographie*. Garnier Frères, 1896.

Le Blant Robert : *Le baron de Saint-Castin*. Pradeu Imprimeur Éditeur, Dax, 1937.

Cuzin Henri, *Du Christ à la Trinité d'après l'expérience de Marie de l'Incarnation*.

Mayer Philippe, *Québec*. Seuil.

Sagard Gabriel, *Le grand voyage au pays des Hurons*. Éd. Hurtubise HMH, 1976.

Trudel Marcel et Frégault Guy, *Histoire de la Nouvelle-France*. Éd. Fides, Montréal, 1963.

Trudel Marcel, *Montréal, la formation d'une société. 1642-1663*. Éd. Fides, 1976.

W. Brown, Trudel Marcel et Vachon André, *Dictionnaire biographique du Canada*. Presses de l'Université, Laval, 1966.

Rochemonteix, *Les Jésuites et la Nouvelle-France au xviiᵉ siècle*.

Table des matières

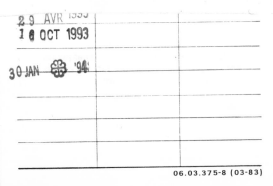

LA